Reading
Mentor
joy
START 2

Longman
Reading Mentor joy START ❷

지은이 교재개발연구소
편집 및 기획 English Nine
발행처 Pearson Education South Asia Pte Ltd.
판매처 inkedu(inkbooks)
전화 02-455-9620(주문 및 고객지원)
팩스 02-455-9619
등록 제13-579호

ISBN 979-11-88228-33-1

잘못된 책은 구입처에서 바꿔 드립니다.

Longman

Reading

Mentor

joy

START 2

Pearson

Introduction

Reading Mentor Joy Start 시리즈는 초등학생 및 초보자를 위한 영어 읽기 학습 교재로, 전체 2개의 레벨 총 6권으로 구성되어 있습니다.

이 시리즈는 수준별로 다양한 주제의 글들을 통해서 학습자들의 문장 이해력과 글 독해력 향상을 주요 목표로 하고 있습니다. 또한 어휘와 문맥을 파악하고 글의 특성에 맞는 글 독해력 향상을 위한 체계적인 코너들을 구성하여 전체 내용을 효과적으로 이해할 수 있도록 구성했습니다.

학습자들의 수준에 맞는 다양한 주제의 글들을 통해서 학습에 동기부여를 제공함과 더불어 다양한 배경 지식과 상식을 넓히는 계기가 될 것입니다.

Reading Mentor joy START

Book 1	Book 2	Book 3

Reading Mentor joy

Book 1	Book 2	Book 3

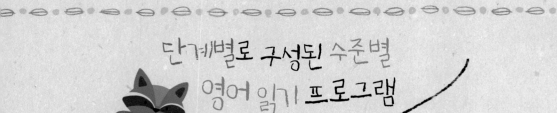

단계별로 구성된 수준별
영어 읽기 프로그램

- 흥미 있는 토픽별 읽을거리
- 문맥을 통한 내용 파악 연습
- 재미있게 영단어 확인 학습
- 스토리 속 숨어 있는 문법 학습
- 다양한 학습 능력을 활용한 문제 구성

Reading Mentor Joy Start 스토리 소개

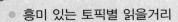

Book	Chapter
START 1	1 **Animals** 동물
	2 **Friends** 친구
	3 **Hobby** 취미
	4 **Jobs** 직업
	5 **Family** 가족
	6 **Places** 장소
START 2	1 **School Life** 학교 생활
	2 **Favorite Things** 좋아하는 것들
	3 **Nature** 자연
	4 **Daily Life** 일상생활
	5 **Visiting the Doctor** 의사 방문하기
	6 **Introducing Yourself** 자기소개 하기
START 3	1 **Clothes** 옷
	2 **Sports** 스포츠
	3 **Seasons and Weather** 계절과 날씨
	4 **Pets** 애완동물
	5 **In the Woods** 숲에서
	6 **Health** 건강

Syllabus

Reading Mentor Joy Start는 총 3권으로 구성되어 있습니다. 각 권은 총 6개의 Chapter와 18개의 Unit으로 총 8주의 학습 시간으로 구성되어 있습니다. 따라서 Reading Mentor Joy Start는 24주의 학습시간으로 구성되어 있고, 각 권마다 워크북을 제공하여 학습 효율을 높이고자 하였습니다.

Month	Week	Book 1	Unit	Contents	Grammar Time
1	1st	Chapter 1 Animals	1	Animals on the Farm	주어로 쓰이는 명사
			2	Animals Around the World	주어와 일반동사로 구성된 영어 문장
			3	In the Sea	전치사 in, on, under의 의미와 쓰임
	2nd	Chapter 2 Friends	1	New Classmates	be동사의 의미와 쓰임
			2	We Are Good Friends	be going to의 의미와 쓰임
	3rd		3	My Best Friends	[go+-ing]의 의미와 쓰임
		Chapter 3 Hobby	1	My Favorite Hobby	부정관사 a/an의 쓰임
	4th		2	Swimming	부사의 의미와 쓰임
			3	Listening to Music	빈도부사의 의미와 쓰임
2	1st	Chapter 4 Jobs	1	Kinds of Jobs	인칭대명사 주격
			2	Firefighters	인칭대명사의 목적격
			3	My Part Time Job	인칭대명사의 소유격
	2nd	Chapter 5 Family	1	My Family	There is/are의 쓰임과 의미
			2	My Brother	기수와 서수 Ⅰ
	3rd		3	My Grandmother	동사의 현재시제
		Chapter 6 Places	1	Aquarium	현재와 현재진행형의 의미와 쓰임
	4th		2	My Town	can의 의미와 쓰임
			3	The White House	정관사 the의 쓰임

Month	Week	Book 2	Unit	Contents	Grammar Time
3	1st	Chapter 1 School Life	1	My School	형용사의 의미와 쓰임
			2	Field Trip	want의 의미와 쓰임
			3	Classroom Rules	명령문의 의미와 쓰임
	2nd	Chapter 2 Favorite Things	1	My Favorite Flower	and와 but의 의미와 쓰임
			2	My Favorite Thing	it(It)과 they(They)의 의미와 쓰임
	3rd		3	My Favorite Days	빈도표시 부사의 위치
		Chapter 3 Nature	1	The Sun	기수와 서수 Ⅱ

Month	Week	Book2	Unit	Contents	Grammar Time
3	4th	Chapter 3 **Nature**	2	Planting a Tree	[look+형용사]의 의미와 쓰임
			3	Flowers in the Garden	반대 의미의 형용사
4	1st	Chapter 4 **Daily Life**	1	Daily Life	일반동사 have의 의미와 쓰임
			2	After School	전치사의 의미와 쓰임
			3	My Dad's Daily Life	관사를 사용하지 않는 명사
	2nd	Chapter 5 **Visiting the Doctor**	1	Animal Clinic	주어가 3인칭 단수일 때 동사의 변화
			2	Toothache	병과 관련된 표현
	3rd		3	Visiting a Doctor	a few/little의 의미와 쓰임
		Chapter 6 **Introducing Yourself**	1	My Name Is Cindy	be동사 과거형과 쓰임
	4th		2	My Name Is Johnson	because와 because of의 의미와 쓰임
			3	My Name Is William	일반동사의 과거형

Month	Week	Book 3	Unit	Contents	Grammar Time
5	1st	Chapter 1 **Clothes**	1	Clothes We Wear	every의 의미와 쓰임
			2	Things to Wear	현재진행형의 부정문
			3	Favorite Clothes	복수형으로 써야 하는 명사
	2nd	Chapter 2 **Sports**	1	Baseball	현재진행형의 의문문
			2	Soccer	be동사의 부정문
	3rd		3	Swimming Pool Rules	일반동사의 부정문과 부정명령문
		Chapter 3 **Seasons and Weather**	1	Seasons	a lot of와 many의 의미와 쓰임
	4th		2	Weather	take와 bring의 의미와 차이
			3	Rainbow	the가 반드시 필요한 단어
6	1st	Chapter 4 **Pets**	1	Her Best Friend	형용사의 어순
			2	Pet Cat	형용사와 부사
			3	Fishbowl	some과 any의 의미와 쓰임
	2nd	Chapter 5 **In the Woods**	1	Trees	[명사+ful] 형태의 형용사
			2	Camping	[like/love+동사ing] 형태
	3rd		3	In the Woods	전치사 from와 to의 의미와 쓰임
		Chapter 6 **Health**	1	Healthy Habits	명사의 복수형
	4th		2	Couch Potato	형용사의 비교급
			3	Good Habits for Our Health	when의 의미와 쓰임

Construction

Reading Mentor Joy Start는 각 권당 6개의 Chapter와 18개 Unit으로 구성되어 있습니다. 각 Unit은 다음과 같이 구성되어 있으며, 부가적으로 워크북을 제공하고 있습니다. 또한 Reading Passage 및 어휘를 녹음한 오디오 파일을 제공하여 생생한 영어 읽기 학습이 되도록 하였습니다.

Reading Passage

각 Chapter마다 3개의 Reading Passage가 있습니다. 수준별 다양한 주제의 이야기들을 읽어보세요. 색감이 풍부한 삽화가 이야기를 더욱 생생하게 느끼게 해줍니다. 또한 음원을 통해서 원어민의 발음으로 직접 들어 보세요.

Reading Check

앞에서 읽은 재미난 이야기를 잘 이해했는지 문제 풀이를 통해서 확인해 보세요.

Word Check

Reading Passage에 등장하는 어휘들을 문제를 통해서 쓰임을 알아보세요. 어휘를 보다 폭넓게 이해할 수 있고 쉽게 암기할 수 있습니다.

Grammar Time

Reading Passage에서 <u>모르고</u> 지나쳤던 문법 사항을 확인해 보세요. 문장을 확실하게 이해할 수 있습니다.

Review Test

각 Chapter가 끝나면 앞에서 배운 3개의 Reading Passage와 어휘, 문법 등에 대한 총괄적인 문제를 풀어볼 수 있습니다. 배운 내용을 다시 한 번 복습할 수 있는 기회가 됩니다.

Word Master

다음 Chapter로 넘어가기 전에 잠깐 쉬어 가세요! 어휘는 모든 읽기의 기본입니다. 부담 갖지 마시고 앞에서 배운 단어를 한 번 더 써보고 연습해 보세요.

Answers

정답을 맞춰 보고, 해석과 해설을 통해서 놓친 부분들도 함께 확인해 보세요.

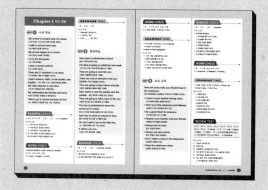

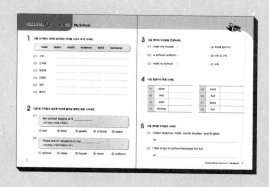

Workbook

별도로 제공되는 워크북은 각 Unit마다 배운 내용을 스스로 풀어보고 연습할 수 있도록 구성했습니다. 스스로 학습할 수 있는 기회로 삼아 보세요.

Contents

Chapter 1
School Life

TR 2-01

My school is located near my house.

I walk to school every day.

My school begins at 9 o'clock.

I'm in the 3rd grade.

I wear a school uniform.

There are 21 students in my class.

I learn science, math, social studies, and English.

My class teacher is very kind.

My classmates are friendly and funny.

I like to go to school because it's fun.

SCHOOL

1

다음 문장이 이 글의 내용과 같으면 **T**에 동그라미를, 다르면 **F**에 동그라미 하세요.

(1) I go to school by bus.   T   F

(2) My school begins at 9 o'clock.   T   F

(3) My school is far from my house.   T   F

2

다음 중 밑줄 친 **begins**를 대신해 쓸 수 있는 말을 고르세요.

① goes   ② starts   ③ walks
④ learns   ⑤ wears

3

다음 중 글쓴이가 언급하지 <u>않은</u> 과목을 고르세요.

① 역사   ② 수학   ③ 사회
④ 영어   ⑤ 과학

4

다음 대화의 빈칸에 알맞은 말을 쓰세요.

A How many students are there in my class?
B There are _____ _____ in your class.

WORDS

□ **locate** 위치하다   □ **near** 근처에   □ **walk** 걷다   □ **begin** 시작하다   □ **grade** 학년

□ **school uniform** 교복   □ **science** 과학   □ **social studies** 사회   □ **friendly** 친절한

□ **funny** 재미있는   □ **because** 때문에

1 다음 보기에서 학교와 관련 있는 단어를 모두 골라 쓰세요.

> school uniform   hair   math   science   student   cup

_____

2 다음 단어와 그림을 연결하세요.

(1)    (2)   (3)    (4)

A. school uniform   B. class   C. science   D. math

3 다음 우리말과 같도록 빈칸에 알맞은 단어를 골라 쓰세요.

(1) My school is located _____ my house. (near / far from)
나의 학교는 나의 집 근처에 있다.

(2) My school _____ at 9 o'clock. (begins / finishes)
나의 학교는 9시에 시작한다.

(3) My teacher is very _____. (pretty / kind)
나의 선생님은 매우 친절하시다.

GRAMMAR TIME

형용사의 의미와 쓰임

1 형용사는 명사의 모양이나 상태 등을 자세하고 다양하게 설명해 주는 역할을 합니다.
예를 들어 beautiful, good, kind 등이 있습니다.

2 형용사는 be동사 뒤에서 주어를 설명하거나 명사 앞에서 뒤에 나오는 명사를 설명하는 역할을 합니다.
The mountain is **beautiful**. 그 산은 아름답다.
They are **good** friends. 그들은 좋은 친구들이다.

3 두 개의 형용사를 쓰려면 가운데 and를 씁니다.
He is **handsome and kind**. 그는 잘생겼고 친절하다.

4 자주 사용하는 형용사

strong 강한	slow 느린	good 좋은	small 작은	fast 빠른
kind 친절한	happy 행복한	sad 슬픈	beautiful 아름다운	hot 더운
black 검은	yellow 노란	red 빨간	busy 바쁜	big 커다란

---

1 다음 중 형용사가 <u>아닌</u> 것을 고르세요.

① kind ② black ③ small
④ school ⑤ sad

2 다음 그림을 보고 빈칸에 들어갈 알맞은 말을 고르세요.

The cat is _____.

① busy ② black ③ white
④ big ⑤ slow

3 다음 빈칸에 들어갈 수 <u>없는</u> 말을 고르세요.

She has a _____ dog.

① big ② near ③ small
④ white ⑤ good

UNIT 2 Field Trip

TR 2-02

Sam goes to elementary school.

His class is going on a field trip next week.

They are going to visit the zoo.

There are <u>a lot of</u> animals in the zoo.

They are going to learn about animals.

Sam wants to see the pandas and the camels.

They are going to take a bus to the zoo.

The bus is scheduled to leave the school at 9 o'clock.

Sam has to arrive at school on time.

He can't wait to go on the field trip.

It will be very fun.

1 다음 중 이 글의 내용과 일치하지 <u>않는</u> 것을 고르세요.

① 다음 주에 현장학습을 간다.　　　② 동물원으로 현장학습을 간다.

③ 버스를 이용해 동물원에 간다.　　④ 학교에서 9시에 떠난다.

⑤ Sam은 동물원에 가는 걸 좋아하지 않는다.

2 다음 중 밑줄 친 **a lot of**를 대신해 쓸 수 있는 말을 고르세요.

① many　　　② funny　　　③ sunny

④ pretty　　　⑤ windy

3 다음 중 빈칸에 들어갈 알맞은 말을 고르세요.

Sam's class will go to the zoo by _____.

① train　　　② subway　　　③ taxi

④ bus　　　⑤ bike

4 다음 대화의 빈칸에 알맞은 말을 쓰세요.

A What animals does Sam want to see in the zoo?

B He wants to see the _____ and the _____.

WORDS

□ **elementary school** 초등학교　□ **field trip** 현장학습　□ **visit** 방문하다　□ **zoo** 동물원

□ **a lot of** 많은　□ **learn** 배우다　□ **panda** 판다　□ **camel** 낙타　□ **schedule** 예정하다

□ **leave** 떠나다　□ **arrive** 도착하다　□ **on time** 제시간에

1 다음 중 보기의 단어들과 관련 있는 말을 고르세요.

> **pandas** **zebras** **camels** **birds** **monkeys**

① fish ② sea ③ school
④ animals ⑤ food

2 다음 단어와 그림을 연결하세요.

(1)  (2)  (3)  (4)

　　　·　　　　　　　·　　　　　　　·　　　　　　·

A. camel　　　B. zoo　　　C. panda　　　D. field trip

3 다음 우리말과 같도록 빈칸에 알맞은 단어를 골라 쓰세요.

(1) We are going on a field trip ＿＿＿＿＿＿＿＿＿＿.
우리는 다음 주에 현장학습을 갈 것이다.　　　　　(this week / next week)

(2) Sam has to ＿＿＿＿＿＿＿＿ at school on time. (arrive / start)
샘은 학교에 제시간에 도착해야 한다.

(3) The field trip will be ＿＿＿＿＿＿＿＿. (fun / boring)
현장학습은 재미있을 것이다.

want의 의미와 쓰임

동사 want는 뒤에 오는 것에 따라 다음과 같이 쓰임이 달라집니다.

[want+to 동사원형] ~하기를 원하다, ~하고 싶다	쓰임: want 다음에 동사를 쓰는 경우 to와 함께 동사원형이 와야 합니다. I **want** to visit him tomorrow. 나는 내일 그를 방문하고 싶다. I **want** to buy a computer. 나는 컴퓨터를 사고 싶다.
[want+명사] ~을 원하다	쓰임: want 다음에 명사를 쓰는 경우 to 없이 명사가 바로 옵니다. I **want** a computer. 나는 컴퓨터를 원한다. I **want** it. 나는 그것을 원한다.

1 다음 괄호 안에서 알맞은 것을 고르세요.

(1) I want (to visit / visit) him tomorrow.

(2) Tom wants (to buy / buy) a computer.

(3) She wants (a computer / to a computer).

(4) I (want / want to) a new car.

(5) They want (have / to have) lunch now.

2 다음 주어진 단어를 우리말에 맞게 배열하세요.

캐시는 저녁식사로 스파게티를 먹고 싶어 한다. (have, to, wants, spaghetti)

Cathy _____ for dinner.

TR 2-03

Here are some rules you should keep in the classroom.

- Listen to your teacher during class.

- Don't run in the classroom and hallways.

- Be a good friend to everyone.

- Respect your teacher and your friends.

- Always tell the truth.

- Always use kind words.

- Don't make a noise in the classroom.

- Keep the classroom clean.

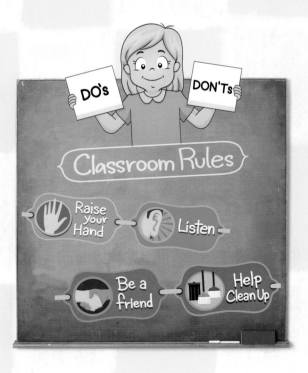

1 다음 중 이 글에서 언급하지 <u>않은</u> 것을 고르세요.

① 선생님 말씀을 잘 들어라.　　　② 항상 솔직해라.

③ 교실과 복도에서 걸어라.　　　④ 매일 교실청소를 하라.

⑤ 교실을 깨끗이 사용해라.

2 다음 중 보기와 의미가 같은 것을 고르세요.

> Be kind to everyone.

① Be a good friend to everyone.

② Don't run in the classroom.

③ Always tell the truth.

④ Respect your parents.

⑤ Don't make a noise in the classroom.

3 다음 중 밑줄 친 **clean**의 반대말을 고르세요.

① tall　　　　　② dirty　　　　　③ beautiful

④ good　　　　　⑤ kind

4 다음 빈칸에 공통으로 알맞은 말을 쓰세요.

> • Listen to your _____ during class.
>
> • Respect your _____ and your friends.

WORDS

□ **rule** 규칙　□ **keep** 지키다　□ **classroom** 교실　□ **during** ~ 동안　□ **class** 수업　□ **hallway** 복도

□ **everyone** 모두　□ **respect** 존경하다　□ **truth** 진실　□ **use** 사용하다　□ **word** 말, 단어　□ **noise** 소음

1 다음 중 교실에서 볼 수 <u>없는</u> 단어를 고르세요.

① student　　　② chair　　　③ bed
④ desk　　　　⑤ board

2 다음 단어와 그림을 연결하세요.

(1)

(2)

(3)

(4)

A. hallway　　B. during class　　C. clean　　D. classroom

3 다음 우리말과 같도록 빈칸에 알맞은 단어를 골라 쓰세요.

(1) Be a good friend to _____. (everyone / every week)
모두에게 좋은 친구가 돼라.

(2) _____ your teacher and your friends. (Respect / Keep)
네 선생님과 친구들을 존경해라.

(3) Listen to your teacher _____ class. (during / on)
수업 중에 선생님 말씀을 들어라.

GRAMMAR TIME

명령문의 의미와 쓰임

1 명령문은 상대방이 해야 할 일 또는 하지 말아야 할 일을 강하게 표현하는 것으로, '~해라' 또는 '~하지 마라'의 의미를 나타냅니다.

2 명령문의 형태
주어가 You인 문장에서 You를 빼고, 동사를 원형으로 바꾸면 명령문이 됩니다.

3 긍정명령문

동사원형 ~. Be동사+형용사 ~.	~ 해라.	You come here. → Come here. 여기로 와라. You are quiet. → Be quiet. 조용히 해라.

4 부정명령문

Don't+동사원형 ~. Don't be+형용사 ~.	~ 하지 마라.	You don't stand up. → Don't stand up. 일어서지 마라. You are not late. → Don't be late. 늦지 마라.

---

1 다음 괄호 안에서 알맞은 것을 고르세요.

(1) (Are / Be) quiet.

(2) (Go / Goes) home now.

(3) (Be / Do) your homework.

(4) (Aren't / Don't) be sad.

(5) (Don't go / Don't goes) to school.

(6) (Don't play / Don't plays) computer games.

(7) (Don't be / Don't is) shy.

01 다음 중 형용사가 <u>아닌</u> 것을 고르세요.

① buy　　　　② good　　　　③ dirty

④ diligent　　⑤ pretty

[02-03] 다음 중 빈칸에 들어갈 알맞은 말을 고르세요.

02
_____ quiet.

① Is　　　　② Are　　　　③ Be

④ To be　　　⑤ Am

03
_____ make a noise in the classroom.

① Be　　　　② Do　　　　③ Doesn't

④ Don't　　　⑤ Am

04 다음 중 빈칸에 공통으로 들어갈 알맞은 말을 고르세요.

- I _____ to be a musician.
- I _____ some water.

① am　　　　② want　　　　③ do

④ drink　　　⑤ going to

05 다음 중 밑줄 친 단어를 대신해 쓸 수 있는 말을 고르세요.

My school <u>begins</u> at 9 o'clock.

① learns   ② closes   ③ does
④ goes   ⑤ starts

06 다음 중 보기 답변에 대한 질문을 고르세요.

I learn science, math, social studies, and English.

① What's your favorite subject?
② What sport do you like?
③ What are you going to study?
④ What do you learn at school?
⑤ How many classes do you have today?

07 다음 중 그림을 보고 빈칸에 들어갈 알맞은 말을 고르세요.

_____ your hand to speak.

① Do   ② Raise   ③ Wash
④ Put down   ⑤ Keep

08 다음 중 빈칸에 공통으로 들어갈 알맞은 말을 고르세요.

· My teacher is very _____.
· Use _____ words in the classroom.

① tall   ② brave   ③ pretty
④ kind   ⑤ fast

> Sam goes to elementary school.
>
> He's in the 4th grade.
>
> His class is going on a field trip next week.
>
> They are going to visit the zoo.
>
> Sam wants to see the pandas and the camels.
>
> The bus is scheduled to <u>leave</u> the school at 9 o'clock.
>
> Sam has to arrive at school on time.
>
> He can't wait to go on the field trip.
>
> It will be very fun.

09 다음 중 이 글을 통해 알 수 <u>없는</u> 것을 고르세요.

① 현장학습 장소　　　② 이동수단　　　③ 출발 시각

④ Sam의 학년　　　⑤ 출발 날짜

10 이 글의 밑줄 친 동사 **leave**의 반대말을 이 글에서 찾아 쓰세요.

_____

11 다음 중 <u>어색한</u> 문장을 고르세요.

① Don't be late.

② Do your homework now.

③ I want to buying a computer.

④ They are good friends.

⑤ Respect your teachers.

12 다음 보기에서 빈칸에 알맞은 말을 골라 쓰세요.

| arrive | tell | listen |

(1) Don't _____ a lie.

(2) The train will _____ soon.

(3) I want to _____ to the radio.

13 다음 우리말과 같도록 빈칸에 알맞은 말을 쓰세요.

_____ be late again. 다시는 늦지 마라.

_____

14 다음 영어를 우리말로 쓰세요.

(1) I want to learn Chinese.

_____

(2) My father is tall and strong.

_____

15 다음 대화의 빈칸에 주어진 단어를 이용하여 알맞은 말을 쓰세요.

A What grade are you in?
B I'm in the _____ grade. (three)

_____

 WORD MASTER

TR 2-03-W

다음 단어의 뜻을 쓰고, 단어를 세 번씩 더 써보세요.

01	arrive	도착하다	arrive	arrive	arrive
02	because				
03	begin				
04	everyone				
05	grade				
06	hallway				
07	leave				
08	noise				
09	respect				
10	rule				
11	science				
12	truth				
13	use				
14	visit				
15	word				

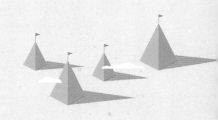

Chapter 2
Favorite Things

My Favorite Flower

TR 2-04

Roses are my favorite.

I love the shape of roses and their beautiful colors.

Roses give a lot of pleasure to me.

There are many different colors of roses.

<u>They</u> come in red, yellow, pink, and white.

I like red roses the most.

A red rose is a symbol of love.

A yellow rose means friendship and joy.

A pink rose means perfect happiness.

A white rose means innocence.

Ouch!

Be careful.

There are thorns on a rose.

1 다음 문장이 이 글의 내용과 같으면 T에 동그라미를, 다르면 F에 동그라미 하세요.

(1) People like red roses the most.   T   F

(2) Roses have many different colors.   T   F

(3) A white rose means love.   T   F

2 다음 빈칸에 알맞은 말을 쓰세요.

red roses – love	yellow roses – (1) _____
pink roses – (2) _____	white roses – innocence

(1) _____

(2) _____

3 다음 중 밑줄 친 **They**가 의미하는 것을 고르세요.

① flowers   ② shapes   ③ roses

④ people   ⑤ love

4 다음 대화의 빈칸에 들어갈 알맞은 말을 쓰세요.

A What color of roses do you like the most?
B I like _____.

WORDS

☐ **favorite** 좋아하는 ☐ **shape** 모양 ☐ **pleasure** 즐거움 ☐ **different** 다양한 ☐ **most** 가장

☐ **symbol** 상징 ☐ **mean** 의미하다 ☐ **friendship** 우정 ☐ **joy** 즐거움 ☐ **perfect** 완벽한

☐ **happiness** 행복 ☐ **innocence** 순수 ☐ **thorn** 가시

1 다음 중 보기의 단어들과 관련 있는 말을 고르세요.

pink	yellow	white	red	black

① flowers   ② symbols   ③ colors

④ friendship   ⑤ world

2 다음 단어와 그림을 연결하세요.

(1)    (2)    (3)    (4)

A. roses   B. pink   C. thorns   D. friendship

3 다음 우리말과 같도록 빈칸에 알맞은 단어를 골라 쓰세요.

(1) My _____ flower is a rose. (favorite / like)

내가 좋아하는 꽃은 장미다.

(2) A yellow rose means _____ and joy. (friendship / happiness)

노란 장미는 우정과 기쁨을 의미한다.

(3) There are _____ on a rose. (symbols / thorns)

장미에는 가시들이 있다.

and와 but의 의미와 쓰임

1 and는 '그리고'라는 의미로 2개 이상의 서로 비슷하거나 연속적인 내용을 연결할 때 사용합니다.
   I have a dog **and** a cat. 나는 개와 고양이가 있다.

2 세 개 이상의 내용을 연결할 경우, 맨 마지막 단어 앞에 **and**가 옵니다. 이때 각 단어 뒤에 콤마(,)를 붙입니다.
   They are yellow, green, **and** white. 그것들은 노랗고, 초록색이고 하얗다.

3 but은 '그러나', '하지만'이란 의미로 의미상 앞의 말과 반대되는 내용을 연결할 때 사용합니다.
   She's young **but** smart. 그녀는 어리지만 영리하다.
   The cake is small **but** delicious. 그 케이크는 작지만 맛있다.

1 다음 우리말과 같도록 빈칸에 and 또는 but을 쓰세요.

(1) She is tall, pretty, _____ kind.
   그녀는 키가 크고, 예쁘고, 그리고 친절하다.

(2) I have a book, a pencil, _____ an eraser.
   나는 책, 연필, 그리고 지우개를 가지고 있다.

(3) The spaghetti is salty _____ delicious.
   그 스파게티는 짜지만 맛있다.

(4) The computer is small _____ very expensive.
   그 컴퓨터는 작지만 매우 비싸다.

(5) I like math _____ English.
   나는 수학과 영어를 좋아한다.

(6) Mike is tall _____ handsome.
   마이크는 키가 크고 잘생겼다.

(7) Sam is small _____ very strong.
   샘은 작지만 힘이 매우 세다.

TR 2-05

My favorite thing is my smartphone.

I always carry my smartphone in my pocket.

I use it to listen to music and take photos.

I use it to talk to my friends.

I like playing games on my smartphone.

My smartphone is very important to me.

But I don't spend too much time on my smartphone.

It's time to turn off my smartphone.

I have to finish my homework before dinner.

I always turn off my smartphone when I do my homework.

1 다음 중 이 글의 내용과 <u>다른</u> 것을 고르세요.

① 나는 항상 스마트폰을 가지고 다닌다.

② 나는 스마트폰을 이용해 음악을 듣는다.

③ 나는 스마트폰을 이용해 사진을 찍는다.

④ 나는 숙제할 때는 스마트폰을 끈다.

⑤ 나는 저녁식사 후 숙제를 한다.

2 다음 중 빈칸에 들어갈 알맞은 말을 고르세요.

> I use my smartphone to _____ photos.

① talk   ② buy   ③ take

④ listen   ⑤ go

3 다음 대화의 빈칸에 들어갈 알맞은 말을 고르세요.

> **A** When do you turn off the smartphone?
> **B** I turn off the smartphone when _____.

① I listen to music   ② I play with my dog

③ I have dinner   ④ I do my homework

⑤ I go to bed

4 이 글의 밑줄 친 <u>it</u>이 의미하는 것을 쓰세요.

_____

WORDS

□ **smartphone** 스마트폰 □ **always** 항상 □ **carry** 휴대하다 □ **pocket** 주머니 □ **use** 사용하다

□ **take photos** 사진을 찍다 □ **important** 중요한 □ **spend** (시간을) 보내다 □ **turn off** ~을 끄다

□ **finish** 끝내다

WORD CHECK

1 다음 단어와 그림을 연결하세요.

(1) 　(2) 　(3) 　(4)

A. take photos　B. smartphone　C. turn off　D. listen to music

2 다음 중 그림을 보고 빈칸에 들어갈 알맞은 말을 고르세요.

Please _____ your smartphone.

① turn off　② turn in　③ buy
④ talk with　⑤ start

3 다음 우리말과 같도록 빈칸에 알맞은 단어를 골라 쓰세요.

(1) I don't _____ too much time on my smartphone.
나는 너무 많은 시간을 나의 스마트폰에 사용하지 않는다.　(spend / take)

(2) It is very _____ to me. (important / favorite)
그것은 나에게 매우 중요하다.

(3) I have to _____ my homework before dinner. (arrive / finish)
나는 저녁식사 전에 숙제를 마쳐야 한다.

GRAMMAR TIME

it(It)과 they(They)의 의미와 쓰임

1 it은 대명사로 앞에서 나온 장소, 사물, 동물 등을 다시 표현할 때 사용합니다. 앞에서 언급한 명사가 단수(1개)일 때 사용합니다.

2 it은 주어 자리와 목적어 자리에 오며 '그것은', '그것을' 등으로 해석합니다.

I love a smartphone. 나는 스마트폰을 사랑한다.

I use **it** every day. 나는 그것을 매일 사용한다. (it = a smartphone)

3 they는 대명사로 앞에서 나온 장소, 사물, 사람, 동물 등을 다시 표현할 때 사용하며, 앞에서 언급한 명사들이 복수(2개 이상)일 때 사용합니다.

4 they는 주어 자리에만 오며 '그들은', '그것들은' 등으로 해석합니다.

I have three dogs. 나는 세 마리 개가 있다.

They are my best friends. 그들은 나의 최고의 친구들이다. (They = three dogs)

---

1 다음 괄호 안에서 알맞은 것을 고르세요.

(1) I have a smartphone.

I use (it / them) to listen to music.

(2) There are two girls in the park.

(It / They) are my friends.

(3) **A**: Did you see my friends?

B: Yes, (it / they) are in the cafeteria now.

(4) There is a cat in the room.

(It / They) is my cat.

(5) There are three students in the classroom.

(It / They) are my classmates.

My Favorite Days

🎧 TR 2-06

There are 7 days in a week.

They are Sunday, Monday, Tuesday, Wednesday,

Thursday, Friday, and Saturday.

I go to school from Monday to Friday.

I go swimming after school on Monday and Thursday.

I practice the piano on Friday.

Saturday and Sunday are my favorite days.

Saturday and Sunday are the weekend.

I don't go to school on the _____.

Sometimes I go to the library on Sunday.

I wake up late on the weekends.

Saturday and Sunday will always be my favorite days.

1 다음 문장이 이 글의 내용과 같으면 T에 동그라미를, 다르면 F에 동그라미 하세요.

(1) I go swimming on Monday and Thursday.　　T　　F

(2) I practice the piano on the weekends.　　T　　F

(3) I get up early on Saturday.　　T　　F

2 다음 중 이 글의 빈칸에 들어갈 알맞은 말을 고르세요.

① seven days　　② weekends　　③ Monday

④ Tuesday　　⑤ weekday

3 다음 중 이 글의 내용과 일치하지 <u>않는</u> 그림을 고르세요.

①

Mon-Fri

②

Friday

③

Thursday

④

Sat & Sun

⑤

Saturday

4 다음 대화의 빈칸에 알맞은 말을 쓰세요.

A How many days are there in a week?

B There _____.

WORDS

□ **day** 날　□ **week** 주, 일주일　□ **swim** 수영하다　□ **practice** 연습하다　□ **weekend** 주말

□ **sometimes** 때때로　□ **library** 도서관　□ **wake up** 일어나다　□ **always** 언제나

1 다음 단어와 그림을 연결하세요.

(1)

(2)

(3)

(4)

A. practice the piano B. weekend C. wake up D. library

2 다음 중 보기에 해당하지 <u>않는</u> 요일을 고르세요.

from Monday to Friday

① Wednesday　　② Tuesday　　③ Saturday

④ Monday　　⑤ Thursday

3 다음 우리말과 같도록 빈칸에 알맞은 단어를 골라 쓰세요.

(1) There are 7 days in a _____. (week / weekend)
일주일에는 7일 있다.

(2) I practice the piano on _____. (Friday / Thursday)
나의 금요일에 피아노 연습을 한다.

(3) I wake up _____ on the weekends. (late / early)
나는 주말에 늦게 일어난다.

빈도표시 부사의 위치

always, sometimes, often은 빈도표시 부사로 쓰임은 다음과 같습니다.

always 항상	sometimes 가끔	often 자주

1 always, sometimes, often은 be동사 뒤에 옵니다.
She is **always** busy. 그녀는 언제나 바쁘다.

2 always, sometimes, often은 일반동사 앞에 옵니다.
I **sometimes** eat pizza. 나는 때때로 피자를 먹는다.
We **often** take a walk in the morning. 우리는 아침에 자주 산책을 한다.

3 sometimes는 문장 맨 앞에 오는 경우도 있습니다.
Sometimes I eat pizza. 때때로 나는 피자를 먹는다.

1 다음 중 보기 문장에 **often**이 들어갈 위치를 고르세요.

① They ② eat ③ pizza ④ for lunch ⑤.

2 다음 주어진 단어를 이용하여 문장을 다시 쓰세요.

(1) He gets up early. (always)

_____

(2) We go to the beach. (sometimes)

_____

3 다음 보기의 주어진 단어들을 우리말에 맞게 배열하세요.

그는 학교에 가끔 지각을 한다. (sometimes / late / is)
He _____ for school.

_____

Answers p.6

[01-02] 다음 중 빈칸에 들어갈 알맞은 말을 고르세요.

01

She is tall, pretty, _____ kind.

① so   ② to   ③ therefore
④ and   ⑤ but

02

Tom and Jane are my friends. _____ are very diligent.

① It   ② We   ③ They
④ There   ⑤ He

03 다음 중 보기 문장에 **always**가 들어갈 위치를 고르세요.

① They ② eat ③ lunch ④ at the cafeteria ⑤.

04 다음 중 빈칸에 들어갈 말이 <u>다른</u> 것을 고르세요.
① Kevin is tall _____ strong.
② The computer is small _____ very expensive.
③ Sam _____ Jinny are my friends.
④ I like math _____ English.
⑤ She has a brother _____ two sisters.

05 다음 중 밑줄 친 단어를 대신해 쓸 수 있는 것을 고르세요.

> I <u>wake up</u> late on the weekends.

① dress up   ② give up   ③ get up

④ pick up   ⑤ grow up

06 다음 중 보기 대답에 알맞은 질문을 고르세요.

> A yellow rose means friendship and joy.

① What's your favorite flower?

② What's your favorite color?

③ How many flowers do you need?

④ What kind of flower do you want to buy?

⑤ What does a yellow rose mean?

07 다음 중 그림을 보고 빈칸에 들어갈 알맞은 말을 고르세요.

> I _____ the piano every day.

① move   ② practice   ③ borrow

④ turn on   ⑤ take

08 다음 중 빈칸에 공통으로 들어갈 알맞은 말을 고르세요.

> • There are 7 days in a _____.
> • I go swimming once a _____.

① weekend   ② week   ③ holiday

④ weekday   ⑤ month

[09-10] 다음을 읽고 질문에 답하세요.

> There are 7 days in a week.
> They are Sunday, Monday, Tuesday, Wednesday, Thursday, Friday and Saturday.
> I go to school from Monday to Friday.
> I go swimming after school on Monday and Thursday.
> I practice the piano on Friday.
> Saturday and Sunday are my favorite days.
> Saturday and Sunday are the weekend.
> I don't go to school on the weekends.
> Sometimes I go to the library to _____ books on Sunday.

09 다음 중 이 글의 내용과 <u>다른</u> 것을 고르세요.

① I go swimming twice a week.
② I practice the piano once a week.
③ I don't go to school on Saturdays.
④ I go to school five days a week.
⑤ The library opens every day.

10 다음 중 이 글의 빈칸에 들어갈 알맞은 말을 고르세요.
① borrow ② buy ③ ask
④ deliver ⑤ use

11 다음 중 <u>어색한</u> 문장을 고르세요.
① We often take a walk in the morning.
② They always are busy.
③ We sometimes eat pizza for dinner.
④ She always takes a shower in the morning.
⑤ Sometimes I drink coffee.

12 다음 보기에서 빈칸에 알맞은 말을 골라 쓰세요.

| weekend | important | perfect |

(1) He got a _____ score on his math test.

(2) We have a very _____ meeting tomorrow.

(3) Let's go fishing this _____.

13 다음 주어진 단어를 이용하여 문장을 다시 쓰세요.

(1) She drinks coffee after dinner. (always)

_____

(2) We go hiking. (sometimes)

_____

14 다음 우리말과 같도록 빈칸에 알맞은 말을 쓰세요.

A red rose is a _____ of love.
빨간 장미는 사랑의 상징이다.

_____

15 다음 영어를 우리말로 쓰세요.

(1) There are thorns on a rose.

_____

(2) It's time to turn off my smartphone.

_____

WORD MASTER

TR 2-06-W

다음 단어의 뜻을 쓰고, 단어를 세 번씩 더 써보세요.

01	borrow	빌리다	borrow	borrow	borrow
02	favorite				
03	friendship				
04	happiness				
05	important				
06	innocence				
07	library				
08	mean				
09	perfect				
10	pleasure				
11	practice				
12	shape				
13	symbol				
14	thorn				
15	weekend				

Chapter 3

Nature

TR 2-07

The sun is one of the million stars in the galaxy.

The sun is far away from us.

The sun rises in the east.

The sun sets in the west.

The sun gives us sunlight.

The sun gives us vitamins and minerals.

The sun is the source of all energy on the Earth.

The sun is a very important part of our life.

We can't <u>live</u> without the sun.

1 다음 중 이 글의 내용과 일치하지 <u>않는</u> 것을 고르세요.

① 태양은 지구에서 멀리 떨어져 있다.　② 태양은 우리에게 햇빛을 제공한다.

③ 태양은 우리에게 비타민을 제공한다.　④ 태양은 지구의 모든 에너지의 근원이다.

⑤ 태양이 없어도 우리는 살 수 있다.

2 다음 보기에서 빈칸에 알맞은 말을 골라 쓰세요.

| sunlight | energy | minerals | live | vitamins |

(1) The sun gives us _____, _____, and _____.

(2) The sun is the source of all _____ on the Earth.

(3) All living things can't _____ without the sun.

3 다음 중 밑줄 친 live를 대신해 사용할 수 있는 단어를 고르세요.

① give　　　　② use　　　　③ survive

④ get　　　　⑤ want

4 다음 대화의 빈칸에 알맞은 말을 쓰세요.

A Where does the sun rise?

B The sun rises in _____.

WORDS
□ **million** 백만, 수많은　□ **galaxy** 은하계　□ **far** 먼　□ **rise** (해 등이) 뜨다　□ **east** 동쪽
□ **set** (해 등이) 지다　□ **west** 서쪽　□ **sunlight** 햇빛　□ **vitamin** 비타민　□ **mineral** 무기질
□ **source** 근원　□ **energy** 에너지, 힘　□ **Earth** 지구　□ **life** 삶　□ **without** ~ 없이

1 다음 단어와 그림을 연결하세요.

(1) 　(2) 　(3) 　(4)

A. east　　B. sunlight　　C. Earth　　D. million stars

2 다음 중 빈칸에 들어갈 말을 고르세요.

> We can't live _____ water.

① without　　② with　　③ from

④ on　　⑤ away

3 다음 우리말과 같도록 빈칸에 알맞은 단어를 골라 쓰세요.

(1) The sun is one of the _____ stars in the galaxy.

　　태양은 은하계 수많은 별들 중 하나다.　　　　　　　　(million / hundred)

(2) The sun is the _____ of all energy on the Earth.

　　태양은 지구의 모든 에너지의 근원이다.　　　　　　　(source / sunlight)

(3) We can't live _____ the sun. (with / without)

　　우리는 태양 없이 살 수 없다.

GRAMMAR TIME

기수와 서수 ||

1 자주 사용하는 기수 (일, 이, 삼, 사 …)

10	ten	20	twenty	30	thirty	40	forty
50	fifty	60	sixty	70	seventy	80	eighty
90	ninety	100	a hundred	1,000	a thousand	백만	one million

2 자주 사용하는 서수 (첫째, 둘째, 셋째 …)

20th	twentieth	21st	twenty-first	24th	twenty-fourth
31st	thirty-first	30th	thirtieth	40th	fortieth
42nd	forty-second	50th	fiftieth	60th	sixtieth
82nd	eighty-second	100th	hundredth	102nd	hundred and second

1 다음 기수를 영어로 쓰세요.

(1) 20 → _____

(2) 23 → _____

(3) 50 → _____

(4) 51 → _____

(5) 90 → _____

(6) 백만 → _____

2 다음 서수를 영어로 쓰세요.

(1) 20th → _____

(2) 21st → _____

(3) 100th → _____

(4) 30th → _____

(5) 42nd → _____

(6) 50th → _____

TR 2-08

Sam and Cathy are planting a tree in the garden.

They have a shovel and a bucket.

Sam digs a hole with the _____.

Cathy places the tree in the hole.

She spreads out the roots of the tree.

Sam fills the rest of the hole with soil.

They water the tree.

They name the tree "Tara."

They look happy.

1 다음 중 이 글의 내용과 <u>다른</u> 것을 고르세요.

① Sam과 Cathy는 정원에 있다.　　② Sam과 Cathy는 삽과 양동이를 가지고 있다.

③ Sam이 구덩이에 나무를 놓는다.　　④ Sam과 Cathy는 나무에 물을 준다.

⑤ Sam과 Cathy는 행복해 보인다.

2 다음 중 빈칸에 들어갈 알맞은 단어를 고르세요.

① tree　　　　② garden　　　　③ bucket

④ shovel　　　⑤ soil

3 다음 문장이 이 글의 내용과 같으면 **T**에 동그라미를, 다르면 **F**에 동그라미 하세요.

(1) Cathy spreads out the roots of the tree.　　**T**　　**F**

(2) The tree's name is Tara.　　**T**　　**F**

(3) Sam and Cathy are in the woods.　　**T**　　**F**

4 다음 대화의 빈칸에 알맞은 말을 쓰세요.

> **A** What are Sam and Cathy doing?
>
> **B** They are ＿＿＿＿＿＿＿＿＿＿＿ in the garden.

WORDS

□ **plant** 심다　□ **garden** 정원　□ **shovel** 삽　□ **bucket** 양동이　□ **dig** 파다　□ **hole** 구멍

□ **spread out** 펼치다　□ **root** 뿌리　□ **fill** 채우다　□ **rest** 나머지　□ **soil** 흙　□ **water** 물을 주다

1 다음 단어와 그림을 연결하세요.

(1)    (2)    (3)    (4)

A. garden   B. plant a tree   C. roots   D. shovel

2 다음 보기의 **this**가 무엇인지 영어로 쓰세요.

> This can live for many years.
> This has roots, branches, and leaves.
> This has green leaves.

_____

3 다음 우리말과 같도록 빈칸에 알맞은 단어를 골라 쓰세요.

(1) They have a shovel and a _____. (bucket / basket)
그들은 삽과 양동이를 가지고 있다.

(2) Cathy places the tree in the _____. (soil / hole)
캐시는 구덩이에 나무를 놓는다.

(3) Sam _____ the rest of the hole with soil. (digs / fills)
샘은 구덩이 나머지를 흙으로 채운다.

GRAMMAR TIME

[look+형용사]의 의미와 쓰임

1 look 다음에 형용사가 오면 '~처럼 보이다'라는 의미입니다.

2 [look+형용사]의 쓰임

look happy 행복해 보이다	look young 젊어 보이다	look sad 슬퍼 보이다	look fat 뚱뚱해 보이다
look hungry 배고파 보이다	look angry 화가 나 보이다	look down 우울해 보이다	look old 늙어 보이다

1 다음 우리말과 같도록 빈칸에 알맞은 말을 쓰세요.

(1) He doesn't _____.

그는 행복해 보이지 않는다.

(2) The pizza _____.

그 피자는 맛있어 보인다.

(3) They _____.

그들은 젊어 보인다.

(4) My mom _____.

나의 엄마는 화가 나 보인다.

(5) The woman _____.

그 여자는 우울해 보인다.

TR 2-09

There are many flowers in the garden.

Flowers get their food from sunlight, water, and minerals

in the soil.

Flowers bloom in spring.

Flowers are very colorful and beautiful.

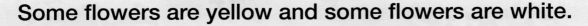

Some flowers are yellow and some flowers are white.

Some flowers are small and some flowers are large.

Flowers are friends to bees and butterflies.

Flowers smell <u>good</u>.

I feel good when I smell flowers.

Flowers make me happy.

1 다음 중 이 글의 내용과 <u>다른</u> 것을 고르세요.

① 꽃들은 봄에 핀다.

② 노란색 꽃과 하얀색 꽃들이 있다.

③ 꽃에는 좋은 향기가 난다.

④ 일부 꽃들은 벌과 나비를 싫어한다.

⑤ 글쓴이는 꽃향기를 맡으면 기분이 좋다.

2 다음 중 이 글의 글쓴이의 심정을 고르세요.

① boring   ② sad   ③ happy

④ sleepy   ⑤ excited

3 다음 중 밑줄 친 단어 **good**의 반대말을 고르세요.

① strong   ② short   ③ long

④ bad   ⑤ high

4 다음 대화의 빈칸에 알맞은 말을 쓰세요.

> **A** When do flowers bloom?
>
> **B** They bloom _____.

WORDS

□ **garden** 정원   □ **sunlight** 햇빛   □ **mineral** 미네랄   □ **soil** 흙   □ **bloom** 꽃이 피다   □ **spring** 봄

□ **colorful** 화려한   □ **small** 작은   □ **large** 큰   □ **bee** 벌   □ **butterfly** 나비   □ **smell** 냄새가 나다

1 다음 단어와 그림을 연결하세요.

(1)    (2)    (3)    (4)

A. butterflies   B. soil   C. smell flowers   D. bees

2 다음 중 성격이 <u>다른</u> 단어를 고르세요.

① rose   ② tulip   ③ cosmos
④ lily   ⑤ bee

3 다음 우리말과 같도록 빈칸에 알맞은 단어를 골라 쓰세요.

(1) Flowers are very _____ and beautiful. (colorful / helpful)
꽃들은 매우 화려하고 아름답다.

(2) I _____ good when I smell flowers. (feel / make)
나는 꽃향기를 맡으면 기분이 좋다.

(3) Some flowers are yellow and _____ . (red / white)
어떤 꽃들은 노랗고 하얗다.

반대 의미의 형용사

형용사는 사람의 기분이나 상태를 나타냅니다.
아래의 반대되는 형용사는 자주 언급되는 것으로 반드시 암기하세요.

tall	키가 큰	short	키가 작은
small	작은	large	큰, 많은
long	길이가 긴	short	짧은
hot	뜨거운	cold	차가운
beautiful	아름다운	ugly	못생긴
hungry	배고픈	full	배부른
rich	부유한	poor	가난한
strong	강한	weak	약한

1 다음 중 반대말이 <u>잘못</u> 짝지어진 것을 고르세요.

① strong – weak   ② rich – poor   ③ beautiful – ugly
④ hungry – full   ⑤ long – tall

2 다음 그림을 보고 빈칸에 알맞은 말을 쓰세요.

(1)

The baby is _____.

The boy is _____.

(2)

The coffee is _____.

The water is _____.

(3)

The man is _____.

The girl is _____.

01 다음 중 연결이 <u>잘못된</u> 것을 고르세요.

① 10 – ten
② 21th – twenty one
③ 40 – forty
④ 30th – thirtieth
⑤ 90 – ninety

02 다음 중 반대말이 <u>잘못</u> 짝지어진 것을 고르세요.

① fast – slow
② rich – poor
③ hungry – full
④ big – large
⑤ short – tall

03 다음 중 빈칸에 어울리지 <u>않는</u> 말을 고르세요.

> She looks _____.

① happy
② sad
③ student
④ hungry
⑤ old

04 다음 중 우리말과 같도록 빈칸에 들어갈 알맞은 말을 고르세요.

> They look _____. 그들은 화가 나 보인다.

① sad
② angry
③ beautiful
④ down
⑤ old

05 다음 중 밑줄 친 단어를 대신해 쓸 수 있는 것을 고르세요.

> Flowers smell <u>good</u>.

① down   ② strong   ③ funny

④ nice   ⑤ weak

06 다음 중 보기 대답에 알맞은 질문을 고르세요.

> They are planting trees in the garden.

① What are you doing?   ② What is he doing?

③ What are they doing?   ④ Where is the trees?

⑤ Why do they plant trees?

07 다음 중 그림을 보고 빈칸에 들어갈 알맞은 말을 고르세요.

> She _____ the tree.

① waters   ② climbs   ③ cuts

④ makes   ⑤ holds

08 다음 중 빈칸에 공통으로 들어갈 알맞은 말을 고르세요.

> • Fish can't survive _____ water.
>
> • We can't live _____ food.

① together   ② to   ③ on

④ with   ⑤ without

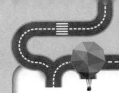

[09-10] 다음을 읽고 질문에 답하세요.

> Sam and Cathy plant a tree in the garden.
>
> They have a shovel and a bucket.
>
> Sam digs a hole with the shovel.
>
> Cathy places the tree in the _____.
>
> She spreads out the roots of the tree.
>
> Sam fills the rest of the hole with soil.
>
> Sam and Cathy look happy.

09 다음 중 이 글에서 언급하지 <u>않은</u> 것을 고르세요.

①   ②   ③   ④   ⑤

10 다음 중 이 글의 빈칸에 들어갈 알맞은 말을 고르세요.

① tree ② roots ③ wall

④ shovel ⑤ hole

11 다음 중 보기의 영어가 무엇에 관한 내용인지 고르세요.

> The sun gives us sunlight.
>
> The sun gives us vitamins and minerals.
>
> The sun is the source of all energy on the Earth.
>
> The sun is a very important part of our life.

① 태양의 위치 ② 지구의 에너지 ③ 태양의 역할

④ 태양과 지구 ⑤ 태양의 온도

12 다음 보기에서 빈칸에 알맞은 말을 골라 쓰세요.

> vitamins   butterflies   colorful

(1) You should take _____ after breakfast.

(2) She doesn't wear _____ clothes.

(3) Some _____ fly at night.

13 다음 숫자를 영어로 쓰세요.

(1) 50 _____   (2) 100 _____

(3) 24th _____   (4) 50th _____

14 다음 우리말과 같도록 빈칸에 알맞은 말을 쓰세요.

> Flowers _____ in spring. 꽃들은 봄에 핀다.

_____

15 다음 영어를 우리말로 쓰세요.

(1) The sun is far away from us.

_____

(2) She spreads out the roots of the tree.

_____

 다음 단어의 뜻을 쓰고, 단어를 세 번씩 더 써보세요.

01	bloom	꽃이 피다	bloom	bloom	bloom
02	bucket				
03	colorful				
04	far				
05	galaxy				
06	garden				
07	hole				
08	life				
09	plant				
10	root				
11	shovel				
12	soil				
13	source				
14	spring				
15	sunlight				

 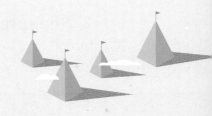

Chapter 4

Daily Life

UNIT 1 Daily Life

TR 2-10

Cindy usually gets up at 7 o'clock.

Then, she goes to the bathroom.

She washes her face and brushes her hair.

She has breakfast at 8 o'clock.

After breakfast, she brushes her teeth and gets dressed.

At 8:30, she leaves for school.

School begins at 9 o'clock and finishes at 2:30.

She comes home from school at 3 o'clock.

She washes her hands and eats a snack.

Then, she practices the piano.

Her daily life is always the same.

1 다음 중 이 글이 무엇에 관한 내용인지 고르세요.

① Cindy's hobby   ② Cindy's daily life   ③ Cindy's family

④ Cindy's friends   ⑤ Cindy's school life

2 다음 중 시각과 연결된 Cindy의 모습이 <u>잘못된</u> 것을 고르세요.

①    – 7:00 a.m.   ②    – 8:00 a.m.

③   – 8:30 a.m.   ④    – 9:00 a.m.

⑤    – 2:30 p.m.

3 다음 중 밑줄 친 <u>has</u> 대신 쓸 수 있는 단어를 고르세요.

① eats   ② wears   ③ washes

④ goes   ⑤ brush

4 다음 문장이 이 글의 내용과 같으면 T에 동그라미를, 다르면 F에 동그라미 하세요.

(1) Cindy practices the piano in the afternoon.   T   F

(2) Cindy gets dressed after breakfast.   T   F

(3) Cindy goes to school by bus.   T   F

W O R D S

☐ **usually** 보통   ☐ **get up** 일어나다   ☐ **bathroom** 화장실   ☐ **brush** 닦다, 솔질하다

☐ **breakfast** 아침식사   ☐ **leave** 떠나다   ☐ **begin** 시작하다   ☐ **finish** 끝나다   ☐ **snack** 간식

☐ **practice** 연습하다   ☐ **always** 언제나

1 다음 단어와 그림을 연결하세요.

(1) 　　(2) 　　(3) 　　(4)

A. brush her hair　　B. bathroom　　C. get dressed　　D. wash your hands

2 다음 보기가 설명하는 장소를 영어로 쓰세요.

> This is a room with a shower or a bath.
>
> This place has a mirror in it.

_____

3 다음 우리말과 같도록 빈칸에 알맞은 단어를 골라 쓰세요.

(1) Cindy _____ gets up at 7 o'clock. (always / usually)
신디는 보통 7시에 일어난다.

(2) School begins at 9 o'clock and _____ at 2:30.
학교는 9시에 시작해서 2시 30분에 끝난다.　　(finishes / arrives)

(3) She _____ the piano every day. (plays / practices)
그녀는 매일 피아노 연습을 한다.

GRAMMAR TIME

일반동사 have의 의미와 쓰임

1 동사 have[has]는 '가지다', '있다', '소유하다'의 의미를 가지고 있습니다.
   I **have** a computer. 나는 컴퓨터를 가지고 있다.

2 동사 have[has]는 또한 '먹다', '마시다'의 의미도 가지고 있습니다.
   I **have** dinner at 7 o'clock. 나는 7시에 저녁을 먹는다.

3 have와 has 쓰임

주어가 I, They, 복수명사(The boys)일 때 have를 사용합니다.	They **have** a computer. 그들은 컴퓨터를 가지고 있다.
주어가 He, She, It, 단수명사(The boy)일 때 has를 사용합니다.	She **has** a computer. 그녀는 컴퓨터를 가지고 있다.

1 다음 빈칸에 have나 has를 쓰세요.

(1) He _____ a new car.

(2) My friends _____ pizza for lunch.

(3) Cindy _____ some water.

(4) Tony and I _____ some flowers.

2 다음 영어를 우리말로 쓰세요.

They have breakfast at 8 o'clock.

_____

TR 2-11

Jim always walks his dog after school.

They walk along the edge of the street.

They pass the grocery store and the hair salon.

Sometimes <u>they</u> go to the park.

Jim plays catch with his dog at the park.

They come back home before dinner.

After dinner, he does his homework.

Then, he watches TV or reads a book.

He goes to bed at 10:30 p.m.

1 다음 중 이 글의 내용과 <u>다른</u> 것을 고르세요.

① Jim은 방과 후 개를 산책시킨다.　② Jim은 개와 매일 공원에 간다.

③ Jim은 자기 전에 TV를 본다.　④ Jim은 저녁식사 후 숙제를 한다.

⑤ Jim과 개는 식료품점을 지나간다.

2 다음 중 밑줄 친 **they**가 의미하는 것을 고르세요.

① Jim　② Jim's dog　③ the grocery store

④ the hair salon　⑤ Jim and his dog

3 다음 보기의 문장과 일치하는 그림을 고르세요.

> Jim plays catch with his dog at the park.

① 　② 　③

④ 　⑤

4 다음 대화의 빈칸에 알맞은 말을 쓰세요.

> **A** What time does Jim go to bed?
>
> **B** He goes to bed _____ p.m.

WORDS

□ **always** 항상　□ **along** ~을 따라　□ **edge** 가장자리　□ **street** 거리　□ **pass** 지나가다

□ **grocery store** 식료품점　□ **hair salon** 미용실　□ **sometimes** 때때로　□ **play catch** 캐치볼을 하다

1 다음 단어와 그림을 연결하세요.

(1) 　(2) 　(3) 　(4)

A. walk the dog　B. do homework　C. watch TV　D. go to bed

2 다음 밑줄 친 **before**와 반대되는 말을 쓰세요.

They come back home <u>before</u> dinner.

3 다음 우리말과 같도록 빈칸에 알맞은 단어를 골라 쓰세요.

(1) Jim _____ his dog after school. (walks / feeds)
짐은 방과 후 그의 개를 산책시킨다.

(2) They _____ home before dinner. (come back / take back)
그들은 저녁식사 전에 집에 돌아온다.

(3) He goes to _____ at 10:30 p.m. (wake / bed)
그는 오후 10시 30분에 잠을 잔다.

GRAMMAR TIME

1 전치사란 명사나 대명사 앞에 와서 내용을 보다 자세히 설명하는 역할을 합니다.

2 여러 전치사의 의미

with ~와 함께	before ~ 전에	after ~ 후에
to (이동 방향을 나타내어) ~로, ~에	at (장소나 시각 앞에서) ~에	along ~을 따라

I get up **at** 7 o'clock. 나는 7시에 일어난다.

I live **with** my parents and grandparents. 나는 부모님과 조부모님과 함께 산다.

We go **to** school every day. 우리는 매일 학교에 간다.

---

1 다음 중 우리말과 같도록 빈칸에 들어갈 알맞은 말을 고르세요.

> We are walking _____ the road.
> 우리는 길을 따라 걷고 있다.

① at   ② to   ③ along

④ in   ⑤ before

2 다음 우리말과 같도록 괄호 안에서 알맞은 것을 고르세요.

(1) He does his homework (before / after / to) dinner.
그는 저녁식사 전에 숙제를 한다.

(2) They go (in / to / at) the library every Sunday.
그들은 매주 일요일에 도서관에 간다.

My Dad's Daily Life

🎧 TR 2-12

My dad gets up early in the morning.

He has soup for breakfast.

Then, he takes a shower and gets dressed.

He usually wears a suit.

My dad leaves the house at 7:30.

He walks to the bus stop.

He catches the bus to his office at 7:45.

He has lunch at 12 o'clock.

He has lunch with his coworkers at the cafeteria.

He returns home from work at 8:00 p.m.

He's busy every day.

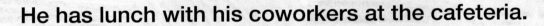

1 다음 문장이 이 글의 내용과 같으면 T에 동그라미를, 다르면 F에 동그라미 하세요.

(1) My dad has sandwiches for breakfast.　　　　T　　F

(2) My dad has lunch with his coworkers.　　　　T　　F

(3) My dad has dinner at 7:00 p.m. every day.　　T　　F

2 다음 중 이 글의 내용 중 나의 아버지의 모습이 <u>아닌</u> 것을 고르세요.

① 　② 　③ 　④ 　⑤

3 다음 보기에서 빈칸에 알맞은 말을 골라 쓰세요.

after	bus	car	before

(1) My dad takes a shower and gets dressed ＿＿＿＿＿＿＿＿ breakfast.

(2) My dad goes to work by ＿＿＿＿＿＿＿＿.

4 다음 대화의 빈칸에 알맞은 말을 쓰세요.

> **A** What time does your dad return home?
> **B** He returns home ＿＿＿＿＿＿＿＿＿＿ p.m.

WORDS

☐ **early** 일찍　☐ **soup** 수프　☐ **usually** 보통　☐ **suit** 정장　☐ **leave** 떠나다　☐ **catch** 잡다, 타다

☐ **office** 사무실　☐ **coworker** 동료　☐ **cafeteria** 구내식당　☐ **return** 돌아오다　☐ **every day** 매일

1 다음 단어와 그림을 연결하세요.

(1)

(2)

(3)

(4)

A. bus stop   B. leave   C. soup   D. office

2 다음 중 빈칸에 들어갈 수 <u>없는</u> 말을 고르세요.

He _____ wears a suit.

① usually   ② often   ③ sometimes

④ early   ⑤ always

3 다음 우리말과 같도록 빈칸에 알맞은 단어를 골라 쓰세요.

(1) My dad _____ the house at 7:30. (arrives / leaves)

나의 아빠는 7시 30분에 집을 떠난다.

(2) He has lunch with his _____ at the cafeteria.

그는 구내식당에서 동료들과 함께 점심을 먹는다.   (friends / coworkers)

(3) He _____ home from work at 8:00 p.m. (returns / goes)

그는 오후 8시에 직장에서 집으로 돌아온다.

관사를 사용하지 않는 명사

1 일반적으로 명사 앞에는 a/an이나 the가 오지만 a/an과 the가 올 수 없는 명사도 있습니다.

2 식사 이름이나 운동 종목 앞에는 a/an이나 the를 쓰지 않습니다.

3 도시 이름, 국가 이름, 사람 이름 앞에 a/an이나 the를 쓰지 않습니다.

식사 이름	breakfast 아침식사　　lunch 점심식사　　dinner 저녁식사
play 뒤 운동 이름	play soccer 축구를 하다　　play tennis 테니스를 치다
국가 이름, 도시 이름, 사람 이름	Korea 한국　　　London 런던　　Mike 마이크 Canada 캐나다　　Paris 파리　　Sally 샐리

Tom plays **soccer** after school. 톰은 방과 후에 축구를 한다.

We have **lunch** at noon. 우리는 정오에 점심식사를 한다.

TIPS 도시, 국가, 사람 이름의 첫 글자는 반드시 대문자로 써야 합니다.

---

1 다음 중 밑줄 친 부분이 잘못된 것을 고르세요.

① We want to play basketball.

② Jim has lunch with a Mike.

③ They are from China.

④ He's going to visit Seoul next month.

⑤ I meet Tom every day.

2 다음 밑줄 친 부분을 바르게 고치세요.

(1) I live in the Canada.　　　　　→ _____

(2) He can play a baseball.　　　　→ _____

(3) We are going to visit a Seoul.　→ _____

(4) He always has the breakfast at 8 a.m.　→ _____

01 다음 중 밑줄 친 **have**의 쓰임이 올바르지 <u>않은</u> 것을 고르세요.

① The dog <u>has</u> a long tail.

② I <u>have</u> some books.

③ She <u>has</u> a cap.

④ Sam and Tom <u>has</u> some coins.

⑤ They <u>have</u> breakfast at 8 a.m.

[02-03] 다음 중 빈칸에 들어갈 알맞은 말을 고르세요.

02

We go _____ the shopping mall every Sunday.

① before   ② at   ③ under
④ with   ⑤ to

03

He lives _____ his parents.

① before   ② at   ③ under
④ with   ⑤ to

04 다음 중 밑줄 친 부분이 올바르지 <u>않은</u> 것을 고르세요.

① Tom plays <u>soccer</u> after school.

② We have <u>lunch</u> at noon.

③ She loves <u>Mike</u>.

④ Sam lives in <u>the Busan</u>.

⑤ They are from <u>China</u>.

05 다음 중 우리말과 같도록 빈칸에 들어갈 알맞은 말을 고르세요.

> They come back home _____ dinner.
> 그들은 저녁식사 전에 집으로 돌아온다.

① to   ② before   ③ on
④ at   ⑤ along

[06-07] 다음 중 밑줄 친 단어를 대신해 쓸 수 있는 것을 고르세요.

06

> She <u>has</u> breakfast at 8 o'clock.

① makes   ② cooks   ③ washes
④ finishes   ⑤ eats

07

> He <u>returns</u> home from work at 7:00 p.m.

① gets up   ② turns on   ③ plays with
④ comes in   ⑤ comes back

08 다음 중 그림을 보고 빈칸에 들어갈 알맞은 말을 고르세요.

> Ted _____ his dog after school.

① waters   ② pats   ③ walks
④ feeds   ⑤ holds

09 다음 중 빈칸에 공통으로 들어갈 알맞은 말을 고르세요.

• He has lunch _____ his coworkers at the cafeteria.
• Jim plays catch _____ his dog at the park

① with   ② to   ③ on   ④ along   ⑤ at

[10-11] 다음을 읽고 질문에 답하세요.

Cindy usually gets up at 7 o'clock.

Then, she goes to the bathroom.

She washes her face and brushes her hair.

She has breakfast at 8 o'clock.

After breakfast, she brushes her teeth and gets dressed.

At 8:30, she leaves for school.

She comes home from school at 3 o'clock.

She washes her hands and eats a snack.

Then, she practices the piano for an hour.

10 다음 중 이 글에서 언급하지 <u>않은</u> 것을 고르세요.

① Cindy가 일어나는 시각   ② Cindy가 아침식사 하는 시각
③ Cindy의 아침식사 메뉴   ④ Cindy가 방과 후 하는 일
⑤ Cindy가 집에 오는 시각

11 다음 중 보기 답변에 알맞은 질문을 고르세요.

She practices the piano for an hour.

① How long does Cindy practice the piano?
② How often does Cindy practice the piano?
③ Does Cindy practice the piano?
④ What instrument does Cindy play?
⑤ What does Cindy play after dinner?

12 다음 보기에서 빈칸에 알맞은 말을 골라 쓰세요. (필요하면 대문자로 쓰세요.)

| shower | lunch | pass |

(1) I always take a _____ before going to bed.

(2) _____ me the salt, please.

(3) We sometimes eat _____ at the cafeteria.

13 다음 밑줄 친 부분을 바르게 고치세요.

My school begins in 9 o'clock.

_____

14 다음 우리말과 같도록 빈칸에 공통으로 알맞은 말을 쓰세요.

- I _____ a new computer. 나는 새로운 컴퓨터가 있다.
- We sometimes _____ noodles for dinner.
  우리는 가끔 저녁식사로 국수를 먹는다.

_____

15 다음 영어를 우리말로 쓰세요.

(1) He has soup for breakfast.

_____

(2) She washes her hands and eats a snack.

_____

TR 2-12-W

 다음 단어의 뜻을 쓰고, 단어를 세 번씩 더 써보세요.

01	**always**	언제나	always	always	always
02	**bathroom**				
03	**begin**				
04	**breakfast**				
05	**cafeteria**				
06	**coworker**				
07	**early**				
08	**edge**				
09	**finish**				
10	**office**				
11	**return**				
12	**sometimes**				
13	**street**				
14	**suit**				
15	**usually**				

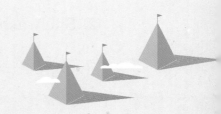

Chapter 5

Visiting the Doctor

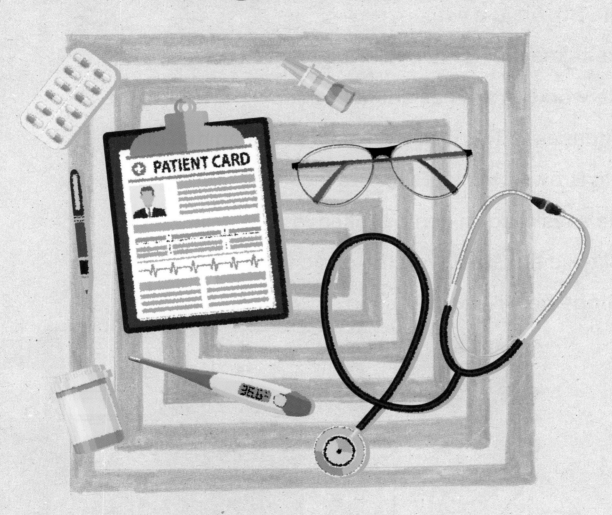

UNIT 1 Animal Clinic

TR 2-13

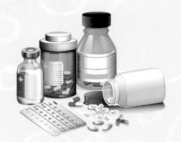

My dog Blackie got injured.

I take Blackie to Mr. Brown.

Mr. Brown is a vet.

He takes care of animals.

He works at a small animal clinic.

There are a lot of sick animals at the animal clinic.

Mr. Brown checks Blackie's leg.

He says Blackie has a broken leg.

Blackie has to stay at the clinic for a week.

I hope he will recover soon.

1 다음 문장이 이 글의 내용과 같으면 T에 동그라미를, 다르면 F에 동그라미 하세요.

(1) Mr. Brown is an animal doctor.   T   F

(2) Mr. Brown works at an animal clinic.   T   F

(3) There aren't any animals in the clinic.   T   F

2 다음 중 Blackie가 동물병원에 간 이유를 고르세요.

① Blackie needs some food.
② Blackie got injured.
③ Blackie got hit by a car.
④ Blackie needs a new toy.
⑤ Blackie has a cold.

3 다음 중 밑줄 친 He가 의미하는 것을 고르세요.

① my dog   ② my dog's leg
③ an animal clinic   ④ Mr. Brown
⑤ other animals

4 다음 대화의 빈칸에 알맞은 말을 쓰세요.

A How long does Blackie have to stay at the animal clinic?
B He has to stay for _____.

WORDS

☐ **get injured** 다치다   ☐ **take** 데려가다   ☐ **vet** 수의사   ☐ **animal clinic** 동물병원   ☐ **sick** 아픈
☐ **check** 살펴보다   ☐ **broken** 부러진   ☐ **stay** 머무르다   ☐ **recover** 회복하다   ☐ **soon** 곧

1 다음 단어와 그림을 연결하세요.

(1) 　　(2) 　　(3) 　　(4)

A. get injured　　B. vet　　C. leg　　D. sick

2 다음 중 우리말과 같도록 빈칸에 들어갈 알맞은 말을 고르세요.

> We're going to _____ home today.　우리는 오늘 집에 있을 것이다.

① visit　　　　② stay　　　　③ leave

④ arrive　　　⑤ check

3 다음 우리말과 같도록 빈칸에 알맞은 단어를 골라 쓰세요.

(1) My dog got _____. (injured / safe)

　　나의 개가 다쳤다.

(2) He works at a small animal _____. (clinic / center)

　　그는 작은 동물병원에서 일한다.

(3) I hope he will _____ soon. (recover / go)

　　나는 그가 곧 회복되기를 바란다.

GRAMMAR TIME

주어가 3인칭 단수일 때 동사의 변화

1 3인칭이란 나(I), 너(you)를 제외한 지칭이며, 단수는 한 사람 또는 동물이나 사물 한 개를 의미합니다.

2 3인칭 단수는 he (그) / she (그녀) / it (그것) / the girl (그 소녀) / Mike (마이크(사람 이름)) / the lion (그 사자) 등입니다.

3 주어가 3인칭 단수일 때 현재형 동사에 -s나 -es 또는 -ies를 붙입니다.

대부분의 동사	-s를 붙입니다.	run → run**s** 달리다 read → read**s** 읽다 walk → walk**s** 걷다
ch, sh로 끝나는 동사	-es를 붙입니다.	watch → watch**es** 보다 wash → wash**es** 씻다
y로 끝나는 동사	y를 지우로 -ies를 붙입니다.	study → stud**ies** 공부하다 cry → cr**ies** 울다
예외적인 경우		have → **has** 가지다, 먹다 go → **goes** 가다 do → **does** 하다

---

1 다음 괄호 안에서 알맞은 것을 고르세요.

(1) I (like / likes) apples.

(2) He (like / likes) apples.

(3) They (go / goes) to school every day.

(4) My dad (wash / washes) the dishes.

(5) She (go / goes) to school every day.

UNIT 2 Toothache

Cathy is sick in bed.

She has a toothache.

She can't chew her food well.

She has a cavity.

She doesn't brush her teeth after meals.

She can't go to school today.

She has to go to the _____.

She hates going to the dentist.

She is a little nervous about going to the dentist.

1 다음 중 이 글의 내용과 일치하지 <u>않는</u> 것을 고르세요.

① Cathy는 아파서 침대에 누워 있다.　② Cathy는 치통이 있다.

③ Cathy는 오늘 학교에 가야 한다.　④ Cathy는 음식을 씹을 수 없다.

⑤ Cathy는 치과 가는 것을 싫어한다.

2 다음 중 이 글의 빈칸에 들어갈 알맞은 것을 고르세요.

① dentist　　　　　　　　② animal clinic

③ school　　　　　　　　④ library

⑤ grocery store

3 다음 중 Cathy의 기분으로 알맞은 단어를 고르세요.

① happy　　　　　　　　② worried

③ excited　　　　　　　　④ surprised

⑤ disappointed

4 다음 대화의 빈칸에 알맞은 말을 쓰세요.

> **A** Why does Cathy have to go to the dentist?
> **B** She has a _____.

WORDS

☐ **sick** 아픈　☐ **toothache** 치통　☐ **chew** 씹다　☐ **food** 음식　☐ **cavity** 충치　☐ **brush** 닦다

☐ **meal** 식사　☐ **dentist** 치과, 치과의사　☐ **a little** 조금　☐ **nervous** 불안한

1 다음 단어와 그림을 연결하세요.

(1) 　　(2) 　　(3) 　　(4)

A. sick in bed　　B. dentist　　C. toothache　　D. meal

2 다음 중 빈칸에 들어갈 알맞은 말을 고르세요.

> She has a toothache. She _____ chew her food well.

① is going to　　② can't　　③ does

④ always　　⑤ has to

3 다음 우리말과 같도록 빈칸에 알맞은 단어를 골라 쓰세요.

(1) She has a _____. (toothache / stomachache)
그녀는 치통이 있다.

(2) She doesn't brush her teeth after _____. (meals / meat)
그녀는 식사 후 이를 닦지 않는다.

(3) She's a little _____. (nervous / sad)
그녀는 조금 불안해 한다.

GRAMMAR TIME

병과 관련된 표현

질병과 관련된 표현들은 다음과 같습니다.

headache 두통	stomachache 복통	toothache 치통
medicine 약	drugstore 약국	cancer 암
allergy 알레르기	body aches 몸살	cold 감기
fever 열	runny nose 콧물	physician 내과의사

1 다음 중 우리말과 같도록 빈칸에 들어갈 알맞은 말을 고르세요.

> I have a bad _____.
> 나는 독감에 걸렸다.

① runny nose   ② cold   ③ headache

④ fever   ⑤ allergy

2 다음 보기에서 빈칸에 알맞은 말을 골라 쓰세요.

> **drugstore**   **medicine**   **cancer**

(1) He has lung _____.

(2) There's a _____ near my house.

(3) Take the _____ twice a day.

TR 2-15

Sara has a cold.

She has a fever and a runny nose.

Her mom takes her to a doctor.

She is a little nervous.

The doctor asks her a few questions.

The doctor takes her temperature.

The doctor checks her tongue, too.

Sara has to take some medicine.

She has to stay home this weekend.

Poor Sara!

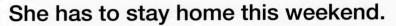

1 다음 중 이 글의 내용과 일치하지 <u>않는</u> 것을 고르세요.

① Sara는 아파서 침대에 누워 있다.　　② Sara는 콧물이 흐른다.

③ 의사가 Sara의 혀를 살펴본다.　　④ Sara는 약을 먹어야 한다.

⑤ 의사가 Sara에게 몇 가지 질문을 한다.

2 다음 중 이 글의 내용과 <u>다른</u> 그림을 고르세요.

① 　② 　③ 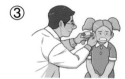　④ 　⑤

3 다음 중 Sara가 이번 주말에 할 일로 알맞은 것을 고르세요.

① She's going to visit a museum.

② She's going to meet her friends.

③ She's going to stay home and rest.

④ She's going to make a cake.

⑤ She's going to play soccer with her friends.

4 다음 대화의 빈칸에 알맞은 말을 쓰세요.

> **A** Why does Sara go to a doctor?
> **B** She has a _____.

WORDS

☐ **cold** 추위, 감기　☐ **fever** 열　☐ **runny nose** 콧물　☐ **take** 약을 먹다, 사람을 데리고 가다

☐ **a little** 조금, 약간　☐ **nervous** 불안한　☐ **a few** 조금, 약간　☐ **question** 질문

☐ **temperature** 체온　☐ **check** 살피다　☐ **tongue** 혀　☐ **medicine** 약　☐ **weekend** 주말

1 다음 단어와 그림을 연결하세요.

(1)

(2)

(3)

(4)

A. have a cold   B. tongue   C. medicine   D. question

2 다음 중 나머지 단어들과 관련 <u>없는</u> 단어를 쓰세요.

> headache   toothache   runny nose   fever   eye

_____

3 다음 우리말과 같도록 빈칸에 알맞은 단어를 골라 쓰세요.

(1) She has a _____ and a runny nose. (fever / cold)
그녀는 열이 있고 콧물이 흐른다.

(2) The doctor asks her a few _____. (answers / questions)
의사는 그녀에 몇 가지 질문을 한다.

(3) She has to _____ some medicine. (take / drink)
그녀는 약을 좀 먹어야 한다.

a few/little의 의미와 쓰임

1 a little은 '조금', '약간'으로 해석하며 정도나 양을 나타낼 때 사용합니다.

A: Can you speak English? 너는 영어로 말할 수 있니?

B: Yes, **a little**. 응, 조금 해.

I think she is **a little** nervous. 그녀는 조금 불안해 하는 것 같다.

2 a few도 '조금', '약간'으로 해석하며 수(셀 수 있는 것)를 나타낼 때 사용합니다.
a few 다음에는 일반적으로 복수명사가 옵니다.

A: How many apples do you have? 너는 사과가 얼마나 있니?

B: I have **a few** (apples), but not many. 조금 있어. 많지는 않아.

There are **a few** girls in the room. 방에 소녀들이 몇 명 있다.

1 다음 괄호 안에서 알맞은 것을 고르세요.

(1) She's going away for (a few / a little) days.

(2) I feel (a few / a little) cold.

(3) I feel (a few / a little) sad today.

(4) Alice has (a few / a little) coins in her pocket.

2 다음 빈칸에 a little이나 a few를 쓰세요.

(1) _____ people are in the elevator.

(2) It is _____ cold today.

(3) I'm _____ tired.

[01-02] 다음 중 우리말과 같도록 빈칸에 들어갈 알맞은 말을 고르세요.

01 I have _____ questions. 나는 질문이 좀 있다.

① few　　　　　② a few　　　　③ little
④ a little　　　　⑤ much

02 I'm _____ worried about the test. 나는 시험이 조금 걱정이다.

① few　　　　　② a few　　　　③ little
④ a little　　　　⑤ much

03 다음 중 빈칸에 올 수 <u>없는</u> 것을 고르세요.

A What's wrong with you?
B I have a _____.

① cold　　　　　② headache　　　③ toothache
④ doctor　　　　⑤ fever

04 다음 중 밑줄 친 부분이 올바르지 <u>않은</u> 것을 고르세요.

① Tom <u>play</u> soccer after school.
② He <u>eats</u> lunch at noon.
③ She <u>loves</u> Mike.
④ Sam <u>lives</u> in Seoul.
⑤ They <u>go</u> to school by bus.

[05-06] 다음 중 우리말과 같도록 빈칸에 들어갈 알맞은 말을 고르세요.

05

I hope he will _____ soon. 나는 그가 곧 회복되기를 바란다.

① arrive ② take ③ play
④ discover ⑤ recover

06

The doctor takes her _____. 의사가 그녀의 체온을 잰다.

① face ② temperature ③ fever
④ body ⑤ tongue

07 다음 중 밑줄 친 단어의 반대말을 고르세요.

She <u>hates</u> going to the dentist.

① calls ② dislikes ③ likes
④ brushes ⑤ finishes

08 다음 중 그림을 보고 빈칸에 들어갈 알맞은 말을 고르세요.

My brother has a _____.

① cold ② headache ③ toothache
④ runny nose ⑤ fever

[09-10] 다음을 읽고 질문에 답하세요.

My dog Blackie got injured.

I take Blackie to Mr. Brown.

Mr. Brown is a vet.

He takes care of animals.

He works at a small animal clinic.

There are a lot of _____ animals at the animal clinic.

Mr. Brown checks Blackie's leg.

He says my dog has a broken leg.

Blackie has to stay at the clinic for a week.

09 다음 중 이 글에서 언급하지 않은 것을 고르세요.

① Blackie가 병원에 간 이유　　② 수의사 선생님 이름

③ Blackie가 다친 부위　　　　④ Blackie의 입원 기간

⑤ Blackie가 다친 이유

10 다음 중 이 글의 빈칸에 들어갈 알맞은 말을 고르세요.

① strong　　　　　② big　　　　　③ fast

④ sick　　　　　　⑤ black

11 다음 중 빈칸에 공통으로 들어갈 알맞은 말을 고르세요.

- She has to _____ the medicine every day.
- They _____ care of young children.

① cook　　　　　② walk　　　　　③ take

④ make　　　　　⑤ do

12 다음 보기에서 빈칸에 알맞은 말을 골라 쓰세요.

stay	brush	dentist

(1) I will _____ home today.

(2) The _____ examines my teeth.

(3) She doesn't _____ her teeth after meals.

13 다음 빈칸에 a little이나 a few를 쓰세요.

(1) I met James _____ days ago.

(2) It is _____ windy today.

14 다음 우리말과 같도록 밑줄 친 부분을 바르게 고치세요.

- He always <u>watch</u> TV after dinner.
  그는 항상 저녁식사 후 TV를 본다.

_____

15 다음 영어를 우리말로 쓰세요.

(1) She has a fever and a runny nose.

_____

(2) He works at a small animal clinic.

_____

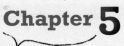

 다음 단어의 뜻을 쓰고, 단어를 세 번씩 더 써보세요.

01 **cavity**	충치	cavity	cavity	cavity
02 **chew**				
03 **dentist**				
04 **fever**				
05 **meal**				
06 **medicine**				
07 **nervous**				
08 **question**				
09 **recover**				
10 **sick**				
11 **stay**				
12 **temperature**				
13 **tongue**				
14 **toothache**				
15 **vet**				

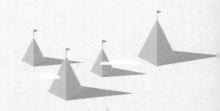

Chapter 6

Introducing Yourself

TR 2-16

Hi, my name is Cindy, and I'm 10 years old.

I was born in Canada, but I live in Seoul, Korea.

We moved here last year.

My favorite sport is tennis.

I play tennis with my dad on the weekends.

I have a puppy and its name is <u>Tommy</u>.

I love playing with Tommy.

My favorite food is Korean food.

I especially like bibimbap.

I often eat bibimbap for dinner.

1 다음 문장이 이 글의 내용과 같으면 T에 동그라미를, 다르면 F에 동그라미 하세요.

(1) Cindy and her family moved to Seoul last year.   T   F

(2) Cindy doesn't have any pets.   T   F

(3) Cindy likes Korean food.   T   F

2 다음 중 이 글에서 언급하지 <u>않은</u> 것을 고르세요.

① Cindy's favorite food   ② Cindy's favorite sport

③ the name of Cindy's dog   ④ the name of Cindy's dad

⑤ Cindy's age

3 다음 중 밑줄 친 <u>Tommy</u>와 같은 동물을 고르세요.

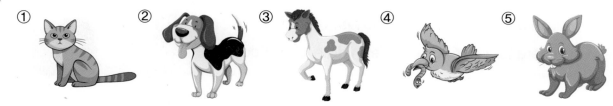

① ② ③ ④ ⑤

4 다음 대화의 빈칸에 알맞은 말을 쓰세요.

A Where was Cindy born?

B She was born in _____.

WORDS

□ **be born** 태어나다   □ **live** 살다   □ **move** 이사하다   □ **tennis** 테니스   □ **weekend** 주말

□ **puppy** 강아지   □ **name** 이름   □ **Korean food** 한국 음식   □ **especially** 특히   □ **often** 종종, 자주

WORD CHECK

1 다음 단어와 그림을 연결하세요.

(1)

(2)

(3)

(4)

A. play tennis •

B. puppy •

C. sport •

D. food •

2 다음 중 보기의 this가 무엇인지 고르세요.

> This is a sport.
>
> You use a racket with strings.
>
> There is a net across the middle of the court.

① soccer   ② baseball   ③ basketball
④ volleyball   ⑤ tennis

3 다음 우리말과 같도록 빈칸에 알맞은 단어를 골라 쓰세요.

(1) I was _____ in Canada, but I live in Korea. (born / corn)
나는 캐나다에서 태어났지만 한국에서 살고 있다.

(2) We moved here _____. (last week / last year)
우리는 지난해 이곳으로 이사 왔다.

(3) My favorite food is _____ food. (Korea / Korean)
내가 좋아하는 음식은 한국 음식이다.

be동사 과거형과 쓰임

1 be동사(am, is, are)는 현재 주어의 성질이나 상태를 설명합니다.

2 be동사 과거는 현재가 아닌 과거 주어의 성질이나 상태를 설명합니다.

주어	현재	과거
I	am (I'm)	was
He / She / It	is (He's / She's / It's)	was
We / You / They	are (We're / You're / They're)	were

※ be동사 현재형은 줄여 사용할 수 있습니다.

3 be동사 뒤에는 형용사나 명사가 옵니다.

The pillow **is** soft. 그 베게는 부드럽다.
　　　　　　　형용사

He **is** a doctor. 그는 의사다.
　　　　명사

4 be동사 과거는 과거를 나타내는 말과 함께 올 수 있습니다.

I **was** a little tired yesterday. 나는 어제 조금 피곤했다.
He **was** very hungry last night. 그는 지난밤에 매우 배고팠다.

---

1 다음 괄호 안에서 알맞은 것을 고르세요.

(1) They (are / were) a little tired yesterday.

(2) It (is / was) very cold yesterday.

(3) She (is / was) at home now.

(4) Jessie (is / was) at the party last night.

(5) We (are / were) born 10 years ago.

TR 2-17

Hi, my name is Johnson.

I'm 10 years old, and I'm in the 3rd grade.

I live in Indonesia.

Indonesia is in the southeast of Asia.

 is a country with beautiful beaches.

There are 4 people in my family.

They are my father, my mother, my elder brother, and me.

My favorite subject is English because learning English

is very fun.

I like singing songs when I'm free.

When I grow up, I want to be a singer.

I hope my dream will come true.

1 다음 문장이 이 글의 내용과 같으면 **T**에 동그라미를, 다르면 **F**에 동그라미 하세요.

(1) Johnson has an elder sister.　　　　　T　　F

(2) Johnson is in the 3rd grade.　　　　　T　　F

(3) Johnson likes learning English.　　　　T　　F

2 다음 중 빈칸에 들어갈 알맞은 말을 고르세요.

① Country　　　　　② Southeast　　　　　③ Asia

④ Indonesia　　　　⑤ Beach

3 다음 중 **Johnson**의 장래 희망으로 알맞은 그림을 고르세요.

①　②　③　④　⑤

4 다음 대화의 빈칸에 알맞은 말을 쓰세요.

A Where does Johnson live?

B He lives _____.

WORDS

□ **grade** 학년　□ **Indonesia** 인도네시아　□ **southeast** 남동쪽　□ **country** 나라　□ **beach** 해변

□ **elder brother** 형　□ **subject** 과목　□ **because** 때문에　□ **singer** 가수　□ **dream** 꿈

□ **come true** 이루어지다

1 다음 단어와 그림을 연결하세요.

(1) 　　(2) 　　(3) 　　(4)

A. Asia　　B. beach　　C. singer　　D. family

2 다음 중 보기의 단어들과 관련 있는 말을 고르세요.

| history　music　science　English　P.E.(physical education) |

① subject　　② classroom　　③ family

④ sport　　⑤ house

3 다음 우리말과 같도록 빈칸에 알맞은 단어를 골라 쓰세요.

(1) I'm in the _____ grade. (third / three)

나는 3학년이다.

(2) There are 4 _____ in my family. (men / people)

나의 가족은 4명이다.

(3) I hope my dream will _____. (come true / be good)

나는 내 꿈이 이루지기를 희망한다.

GRAMMAR TIME

because와 because of의 의미와 쓰임

1 because와 because of는 둘 다 '〜 때문에'라고 해석합니다.

2 because 다음에는 문장(주어+동사)이 옵니다.

Because he was tired, he stayed home yesterday.
주어 동사

그는 피곤했기 때문에 어제 집에 머물렀다.

3 because of 다음에는 명사가 옵니다.

Yesterday he stayed home **because of** flu.

·어제 그는 독감 때문에 집에 머물렀다.   명사

4 because와 because of는 문장 앞에 오거나 중간에 올 수 있습니다.

Because she is very kind, people like her.

그녀는 매우 친절하기 때문에 사람들이 그녀를 좋아한다.

I can't read the book **because of** my headache.

나는 두통 때문에 그 책을 읽을 수 없다.

---

1 다음 빈칸에 **because** 또는 **because of**를 쓰세요.

(1) He quit his job _____ his health.

(2) I was late for class _____ heavy traffic.

(3) I was late for class _____ I missed the bus.

(4) _____ it rained, I stayed at home.

(5) She is at home _____ it is too cold.

TR 2-18

Hello!

My name is William.

I'm your English teacher, and I'm _____ England.

I'm married, and I have 2 daughters.

I came to Korea 2 years ago.

I came here to teach English.

I studied history in university.

I like to read books when I have free time.

Rice noodles and fried chicken are my favorite foods.

I'm going to teach you English grammar and vocabulary.

Teaching English is not easy, but I love my job.

1 다음 문장이 이 글의 내용과 같으면 T에 동그라미를, 다르면 F에 동그라미 하세요.

(1) Mr. William likes teaching English to children.　　T　　F

(2) Mr. William's hobby is reading books.　　T　　F

(3) Mr. William likes Korean food.　　T　　F

2 다음 중 William이 한국에 온 이유를 고르세요.

① He came to Korea to study history.

② He came to Korea to learn Korean.

③ He came to Korea to meet his friends.

④ He came to Korea to eat Korean food.

⑤ He came to Korea to teach English.

3 다음 중 빈칸에 들어갈 알맞은 말을 고르세요.

① to　　　　　② to　　　　　③ from

④ at　　　　　⑤ in

4 다음 대화의 빈칸에 알맞은 말을 쓰세요.

A How many children does Mr. William have?

B He has _____.

WORDS

□ **England** 영국　□ **married** 결혼한　□ **daughter** 딸　□ **ago** 전에　□ **history** 역사

□ **university** 대학　□ **free time** 한가한 시간, 자유 시간　□ **rice** 쌀　□ **noodle** 국수　□ **favorite** 좋아하는

□ **grammar** 문법　□ **vocabulary** 어휘

WORD CHECK

1 다음 단어와 그림을 연결하세요.

(1) 　　(2) 　　(3) 　　(4)

A. noodle　　B. teach　　C. England　　D. vocabulary

2 다음 빈칸에 공통으로 들어갈 알맞은 말을 쓰세요.

- He is poor _____ happy.
- Teaching English is not easy, _____ I love my job.

3 다음 우리말과 같도록 빈칸에 알맞은 단어를 골라 쓰세요.

(1) I'm _____, and I have 2 daughters. (single / married)
나는 결혼했고 두 명의 딸이 있다.

(2) I studied history in _____. (university / school)
나는 대학에서 역사를 공부했다.

(3) I like to read books when I have _____ time. (free / good)
나는 한가한 시간에 책 읽는 것을 좋아한다.

일반동사의 과거형

1 동사의 과거형은 주어의 과거 동작이나 상태를 나타낼 때 쓰는 동사의 형태로, 규칙 변화 과거형과 불규칙 변화 과거형이 있습니다.

2 현재형과 달리, 일반동사 과거형은 주어에 따라 다른 형태를 쓰지 않고 모두 같은 형태를 씁니다.

3 과거형은 과거를 나타내는 말과 함께 올 수 있습니다.

I studied hard **yesterday**. 나는 어제 열심히 공부했다.

He studied hard **last night**. 그는 지난밤에 열심히 공부했다.

4 일반동사의 과거형은 여러 형태가 있기 때문에 반드시 알아두어야 합니다.

현재형	과거형	현재형	과거형
live 살다	lived	eat 먹다	ate
walk 걷다	walked	come 오다	came
study 공부하다	studied	have 가지다/먹다	had
play 놀다, 하다	played	drink 마시다	drank
call 부르다	called	read 읽다	read *발음 [red]
visit 방문하다	visited	give 주다	gave

1 다음 우리말과 같도록 빈칸에 알맞은 과거형을 쓰세요.

(1) I ＿＿＿＿＿＿＿＿＿ here 2 hours ago.

나는 2시간 전에 이곳에 왔다.

(2) She ＿＿＿＿＿＿＿＿＿ London last year.

그녀는 지난해 런던을 방문했다.

(3) She ＿＿＿＿＿＿＿＿＿ a book yesterday.

그녀는 어제 책을 읽었다.

(4) They ＿＿＿＿＿＿＿＿＿ a good time at the party yesterday.

그들은 어제 파티에서 좋은 시간을 가졌다.

[01-03] 다음 중 빈칸에 들어갈 알맞은 말을 고르세요.

01

He _____ very busy last night.

① is   ② are   ③ was

④ were   ⑤ be

02

She was late for school _____ heavy traffic.

① to   ② when   ③ as

④ because   ⑤ because of

03

I _____ at home yesterday.

① stay   ② stayed   ③ stays

④ staying   ⑤ will stay

04 다음 중 밑줄 친 부분이 올바르지 <u>않은</u> 것을 고르세요.

① Tom <u>played</u> soccer last weekend.

② He <u>studied</u> hard last night.

③ She <u>loved</u> James.

④ Sam <u>lived</u> in Busan last year.

⑤ He <u>reads</u> a book yesterday.

[05-06] 다음 중 우리말과 같도록 빈칸에 들어갈 알맞은 말을 고르세요.

05

> I'm going to _____ you English.
> 나는 여러분에게 영어를 가르칠 것이다.

① study ② teach ③ play
④ learn ⑤ take

06

> Indonesia is a country with beautiful _____.
> 인도네시아는 아름다운 해변들이 있는 나라다.

① cities ② beaches ③ mountains
④ falls ⑤ harbors

07 다음 중 빈칸에 들어갈 수 <u>없는</u> 것을 고르세요.

> We moved here _____.

① two years ago ② last year ③ tomorrow
④ last week ⑤ yesterday

08 다음 중 그림을 보고 빈칸에 들어갈 알맞은 말을 고르세요.

> My favorite food is _____.

① pizza ② eggs and fish ③ chicken
④ noodles ⑤ steak

[09-10] 다음을 읽고 질문에 답하세요.

My name is William.

I'm your English teacher, and I'm from England.

I came to Korea 2 years ago.

I came here to teach English.

I like to read books _____ I have free time.

Rice noodles and fried chicken are my favorite foods.

I'm going to teach you English grammar and vocabulary.

Teaching English is not easy, but I love my job.

09 다음 중 이 글에서 언급하지 <u>않은</u> 것을 고르세요.

① Mr. William의 고향　　　　　② Mr. William의 취미

③ Mr. William의 좋아하는 음식　　④ Mr. William의 가족

⑤ Mr. William이 가르칠 과목

10 다음 중 빈칸에 들어갈 말을 고르세요.

① but　　　　　② and　　　　　③ so

④ when　　　　⑤ because

11 다음 중 빈칸에 공통으로 들어갈 알맞은 말을 고르세요.

- My _____ subject is English.
- What's your _____ color?

① important　　② favorite　　③ healthy

④ fun　　　　　⑤ free

12 다음 보기에서 빈칸에 알맞은 말을 골라 쓰세요.

| from | easy | university |

(1) My older brother is a _____ student.

(2) Learning English is not _____.

(3) The boys came _____ Italy.

13 다음 밑줄 친 부분을 바르게 고치세요.

__Because of__ it rained, I stayed at home yesterday.

_____

14 다음 동사의 과거형을 쓰세요.

(1) eat _____   (2) drink _____

(3) have _____   (4) play _____

15 다음 영어를 우리말로 쓰세요.

(1) I came here to teach English.

_____

(2) I play tennis with my dad on the weekends.

_____

다음 단어의 뜻을 쓰고, 단어를 세 번씩 더 써보세요.

01	**beach**	해변	beach	beach	beach
02	**country**				
03	**daughter**				
04	**dream**				
05	**especially**				
06	**grammar**				
07	**history**				
08	**name**				
09	**noodle**				
10	**rice**				
11	**singer**				
12	**subject**				
13	**tennis**				
14	**university**				
15	**vocabulary**				

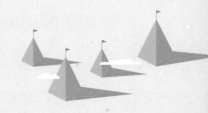

Memo

Memo

Longman

Reading

Mentor

joy

START 2

WORKBOOK

Pearson

WORKBOOK

1 다음 보기에서 의미와 일치하는 단어를 고르고 세 번 쓰세요.

near　　learn　　math　　science　　kind　　because

01 수학 _____　_____　_____

02 근처에 _____　_____　_____

03 때문에 _____　_____　_____

04 친절한 _____　_____　_____

05 과학 _____　_____　_____

06 배우다 _____　_____　_____

2 다음 중 우리말과 같도록 빈칸에 들어갈 알맞은 말을 고르세요.

01

My school begins at 9 _____.

나의 학교는 9시에 시작한다.

① old　　② time　　③ grade　　④ o'clock　　⑤ years

02

There are 21 students in my _____.

나의 반에는 21명의 학생들이 있다.

① school　　② class　　③ house　　④ room　　⑤ uniform

3 다음 영어와 우리말을 연결하세요.

01 near my house •

02 a school uniform •

03 walk to school •

• ⓐ 학교에 걸어가다

• ⓑ 나의 집 근처

• ⓒ 교복

4 다음 형용사의 뜻을 쓰세요.

01	slow	
02	red	
03	sad	
04	strong	

05	kind	
06	hot	
07	busy	
08	funny	

5 다음 영어를 우리말로 쓰세요.

01 I learn science, math, social studies, and English.

→ _____

02 I like to go to school because it's fun.

→ _____

1 다음 보기에서 의미와 일치하는 단어를 고르고 세 번 쓰세요.

> zoo   want   leave   arrive   wait   camel

01 도착하다 _____ _____ _____

02 떠나다 _____ _____ _____

03 낙타 _____ _____ _____

04 동물원 _____ _____ _____

05 원하다 _____ _____ _____

06 기다리다 _____ _____ _____

2 다음 중 우리말과 같도록 빈칸에 들어갈 알맞은 말을 고르세요.

01

> They are going to _____ about animals.
>
> 그들은 동물들에 대해서 배울 것이다.

① go   ② learn   ③ arrive   ④ take   ⑤ walk

02

> Sam has to arrive at school _____.
>
> 샘은 학교에 제시간에 도착해야 한다.

① at time   ② to time   ③ at time   ④ out time   ⑤ on time

3 다음 영어와 우리말을 연결하세요.

01 go on a field trip •   • ⓐ 학교를 떠나다

02 take a bus •   • ⓑ 현장학습을 가다

03 leave the school •   • ⓒ 버스를 타다

4 다음 괄호 안에서 알맞은 것을 고르세요.

01 I want (to buy / buying) a cell phone.

02 Tony wants (to meet / meet) her.

03 She wants (a new bike / to a new bike).

04 They want (visit / to visit) the zoo today.

5 다음 영어를 우리말로 쓰세요.

01 There are a lot of animals in the zoo.

→ _____

02 They are going to take a bus to the zoo.

→ _____

1 다음 보기에서 의미와 일치하는 단어를 고르고 세 번 쓰세요.

rule	respect	noise	clean	truth	everyone

01 존경하다 _____ _____ _____

02 진실 _____ _____ _____

03 소음 _____ _____ _____

04 규칙 _____ _____ _____

05 모두 _____ _____ _____

06 깨끗한 _____ _____ _____

2 다음 중 우리말과 같도록 빈칸에 들어갈 알맞은 말을 고르세요.

01

Listen to your teacher _____ class.

수업 중에 선생님 말씀을 잘 들어라.

① at　　② to　　③ for　　④ on　　⑤ during

02

Always _____ the truth.

항상 진실을 말해라.

① tell　　② learn　　③ read　　④ run　　⑤ use

3 다음 영어와 우리말을 연결하세요.

01 make a noise •　　　　　　　　• ⓐ 친절한 말을 사용하다

02 respect your teacher •　　　　　　　• ⓑ 네 선생님을 존경하다

03 use kind words •　　　　　　　　• ⓒ 떠들다

4 다음 우리말과 같도록 빈칸에 알맞은 말을 쓰세요.

01 _____ be late again.
다시는 늦지 마라.

02 _____ play computer games.
컴퓨터 게임을 하지 마라.

03 _____ quiet.
조용히 해라.

04 _____ some water.
물을 좀 마셔라.

5 다음 영어를 우리말로 쓰세요.

01 Be a good friend to everyone.

→ _____

02 Don't run in the classroom and hallways.

→ _____

1 다음 보기에서 의미와 일치하는 단어를 고르고 세 번 쓰세요.

| rose shape perfect thorn yellow mean |

01 의미하다 _____ _____ _____

02 노란(색) _____ _____ _____

03 장미 _____ _____ _____

04 형태 _____ _____ _____

05 가시 _____ _____ _____

06 완벽한 _____ _____ _____

2 다음 중 우리말과 같도록 빈칸에 들어갈 알맞은 말을 고르세요.

01

A red rose is a _____ of love.
빨간 장미는 사랑의 상징이다.

① symbol ② color ③ shape ④ pleasure ⑤ thorn

02

A white rose _____ innocence.
하얀 장미는 순수를 의미한다.

① loves ② means ③ gives ④ likes ⑤ leaves

3 다음 영어와 우리말을 연결하세요.

01 friendship and joy •

02 thorns on a rose •

03 perfect happiness •

• ⓐ 완벽한 행복

• ⓑ 우정과 기쁨

• ⓒ 장미의 가시들

4 다음 우리말과 같도록 빈칸에 **and** 또는 **but**을 쓰세요.

01 She is young _____ smart.
그녀는 어리지만 영리하다.

02 He is small _____ good at basketball.
그는 키가 작지만 농구를 잘한다.

03 My dad is tall _____ strong.
나의 아버지는 키가 크고 힘이 세다.

04 They are yellow, green, _____ white.
그것들은 노랗고, 초록색이고 하얗다.

05 I like pizza _____ spaghetti.
나는 피자와 스파게티를 좋아한다.

5 다음 영어를 우리말로 쓰세요.

01 Roses give a lot of pleasure to me.

→ _____

02 A pink rose means perfect happiness.

→ _____

1 다음 보기에서 의미와 일치하는 단어를 고르고 세 번 쓰세요.

thing carry pocket important finish use

01 사용하다 _____ _____ _____

02 휴대하다 _____ _____ _____

03 물건 _____ _____ _____

04 주머니 _____ _____ _____

05 끝내다 _____ _____ _____

06 중요한 _____ _____ _____

2 다음 중 우리말과 같도록 빈칸에 들어갈 알맞은 말을 고르세요.

01

I use it to _____ to my friends.

나는 그것을 내 친구들과 이야기하는 데 사용한다.

① give ② take ③ talk ④ live ⑤ finish

02

I use it to listen to music and take _____.

나는 그것을 음악을 듣고 사진을 찍는 데 사용한다.

① a trip ② hobbies ③ friends ④ photos ⑤ a shower

3 다음 영어와 우리말을 연결하세요.

01 my favorite thing •

02 turn off the smartphone •

03 do homework •

• ⓐ 숙제를 하다

• ⓑ 스마트폰을 끄다

• ⓒ 내가 좋아하는 것

4 다음 괄호 안에서 알맞은 것을 고르세요.

01 I have 2 dogs. I feed (it / them) every day.

02 There are 5 students in the classroom. (It / They) are my friends.

03 There is a book on the desk. (It / They) is not my book.

04 There are some strawberries in the basket. (It / They) are very fresh.

5 다음 영어를 우리말로 쓰세요.

01 I always carry my smartphone in my pocket.

→ _____

02 It's time to turn off my smartphone.

→ _____

1 다음 보기에서 의미와 일치하는 단어를 고르고 세 번 쓰세요.

> Tuesday   practice   weekend   wake up   Monday   Saturday

01 주말 _____ _____ _____

02 일어나다 _____ _____ _____

03 연습하다 _____ _____ _____

04 토요일 _____ _____ _____

05 월요일 _____ _____ _____

06 화요일 _____ _____ _____

2 다음 중 우리말과 같도록 빈칸에 들어갈 알맞은 말을 고르세요.

01
Saturday and Sunday are my _____ days.
토요일과 일요일이 내가 좋아하는 날이다.

① favorite   ② busy   ③ free   ④ happy   ⑤ sad

02
I _____ go to school on the weekends.
주말에는 학교에 가지 않는다.

① am not   ② don't   ③ does   ④ do   ⑤ aren't

3 다음 영어와 우리말을 연결하세요.

01 7 days in a week   •
02 practice the piano   •
03 wake up late   •

• ⓐ 늦게 일어나다
• ⓑ 일주일에 7일
• ⓒ 피아노를 연습하다

4 다음 주어진 단어를 이용하여 문장을 다시 쓰세요.

01 We go to the zoo. (often)

→ _____

02 He takes a shower in the morning. (always)

→ _____

03 They play baseball after school. (sometimes)

→ _____

5 다음 영어를 우리말로 쓰세요.

01 Sometimes I go to the library on Sunday.

→ _____

02 I go to school from Monday to Friday.

→ _____

1 다음 보기에서 의미와 일치하는 단어를 고르고 세 번 쓰세요.

| million | galaxy | west | rise | mineral | east |

01 은하계 _____ _____ _____

02 (해 등이) 뜨다 _____ _____ _____

03 동쪽 _____ _____ _____

04 서쪽 _____ _____ _____

05 광물 _____ _____ _____

06 백만 _____ _____ _____

2 다음 중 우리말과 같도록 빈칸에 들어갈 알맞은 말을 고르세요.

01

The sun _____ in the west.

태양은 서쪽에서 진다.

① gets up   ② sets   ③ lives   ④ rises   ⑤ stands

02

We can't live _____ the sun.

우리는 태양 없이는 살 수 없다.

① with   ② on   ③ without   ④ away   ⑤ from

3 다음 영어와 우리말을 연결하세요.

01 the source of all energy •

02 one of the million stars •

03 a part of our life •

• ⓐ 우리 삶의 부분

• ⓑ 수많은 별들 중 하나

• ⓒ 모든 에너지의 근원

4 다음 기수와 서수를 영어로 쓰세요.

01 10 → 기수 : _____ 서수 : _____

02 20 → 기수 : _____ 서수 : _____

03 5 → 기수 : _____ 서수 : _____

04 60 → 기수 : _____ 서수 : _____

05 41 → 기수 : _____ 서수 : _____

5 다음 영어를 우리말로 쓰세요.

01 The sun is far away from us.

→ _____

02 The sun is a very important part of our life.

→ _____

1 다음 보기에서 의미와 일치하는 단어를 고르고 세 번 쓰세요.

| tree | shovel | bucket | hole | fill | root |

01 구멍, 구덩이 _____ _____ _____

02 삽 _____ _____ _____

03 양동이 _____ _____ _____

04 뿌리 _____ _____ _____

05 채우다 _____ _____ _____

06 나무 _____ _____ _____

2 다음 중 우리말과 같도록 빈칸에 들어갈 알맞은 말을 고르세요.

01

Sam _____ a hole with the shovel.

샘은 삽으로 구멍을 판다.

① digs ② picks ③ uses ④ places ⑤ looks

02

She _____ out the roots of the tree.

그녀는 나무의 뿌리들을 펼친다.

① fills ② spreads ③ practices ④ gives ⑤ comes

3 다음 영어와 우리말을 연결하세요.

01 plant a tree   •   • ⓐ 나무에 물을 주다

02 water the tree   •   • ⓑ 나무를 심다

03 look happy   •   • ⓒ 행복해 보이다

4 다음 우리말과 같도록 주어진 단어를 이용하여 빈칸에 알맞은 말을 쓰세요.

01 He _____. (sad)
그는 슬퍼 보인다.

02 The computer _____. (old)
그 컴퓨터는 낡아 보인다.

03 They _____. (hungry)
그들은 배고파 보이다.

04 The woman _____. (young)
그 여자는 젊어 보인다.

5 다음 영어를 우리말로 쓰세요.

01 Sam and Cathy are planting a tree in the garden.

→ _____

02 Sam fills the rest of the hole with soil.

→ _____

1 다음 보기에서 의미와 일치하는 단어를 고르고 세 번 쓰세요.

| flower | garden | soil | spring | bee | butterfly |

01 나비 _____ _____ _____

02 정원 _____ _____ _____

03 꽃 _____ _____ _____

04 흙, 토양 _____ _____ _____

05 봄 _____ _____ _____

06 벌 _____ _____ _____

2 다음 중 우리말과 같도록 빈칸에 들어갈 알맞은 말을 고르세요.

01

Flowers _____ in spring.

꽃들은 봄에 핀다.

① get ② bloom ③ feel ④ make ⑤ do

02

I feel good when I _____ flowers.

나는 꽃향기를 맡으면 기분이 좋다.

① eat ② buy ③ plant ④ smell ⑤ catch

3 다음 영어와 우리말을 연결하세요.

01 smell good   •

02 flowers in the garden   •

03 get food from sunlight •

• ⓐ 정원에 꽃들

• ⓑ 햇빛에서 음식을 얻다

• ⓒ 냄새가 좋다

4 다음 우리말과 같도록 보기에서 빈칸에 알맞은 말을 골라 쓰세요.

> beautiful   hungry   strong   tall   small

01 We are _____ now.
우리는 지금 배가 고프다.

02 She is _____ and _____.
그녀는 키가 크고 아름답다.

03 Kevin is _____ but _____.
캐빈은 작지만 강하다.

5 다음 영어를 우리말로 쓰세요.

01 Flowers get their food from sunlight, water, and minerals in the soil.

   → _____

02 Flowers are friends to bees and butterflies.

   → _____

1 다음 보기에서 의미와 일치하는 단어를 고르고 세 번 쓰세요.

| usually | bathroom | face | breakfast | snack | wash |

01 화장실 _____ _____ _____

02 보통 _____ _____ _____

03 얼굴 _____ _____ _____

04 아침식사 _____ _____ _____

05 씻다 _____ _____ _____

06 간식 _____ _____ _____

2 다음 중 우리말과 같도록 빈칸에 들어갈 알맞은 말을 고르세요.

01

At 8:30, she _____ for school.
8시 30분에 그녀는 학교로 떠난다.

① gets　② leaves　③ puts　④ works　⑤ comes

02

Her _____ life is always the same.
그녀의 일상생활은 항상 같다.

① week　② colorful　③ school　④ busy　⑤ daily

3 다음 영어와 우리말을 연결하세요.

01 eat a snack •

02 get dressed •

03 practice the piano •

• ⓐ 옷을 입다

• ⓑ 피아노 연습을 하다

• ⓒ 간식을 먹다

4 다음 빈칸에 **have**나 **has**를 쓰세요.

01 I _____ a new bag.

02 We _____ spaghetti for lunch.

03 She _____ some apples.

04 Tony and Tom _____ coins.

5 다음 영어를 우리말로 쓰세요.

01 Cindy usually gets up at 7 o'clock.

→ _____

02 She comes home from school at 3 o'clock.

→ _____

1 다음 보기에서 의미와 일치하는 단어를 고르고 세 번 쓰세요.

| pass | street | catch | park | walk | hair salon |

01 걷다 _____ _____ _____

02 통과하다 _____ _____ _____

03 공원 _____ _____ _____

04 거리 _____ _____ _____

05 미용실 _____ _____ _____

06 잡다, 잡기 _____ _____ _____

2 다음 중 우리말과 같도록 빈칸에 들어갈 알맞은 말을 고르세요.

01

They walk along the _____ of the street.

그들은 거리 가장자리를 따라 걷는다.

① edge   ② center   ③ middle   ④ end   ⑤ top

02

They come _____ home before dinner.

그들은 저녁식사 전에 집에 돌아온다.

① after   ② for   ③ before   ④ back   ⑤ at

3 다음 영어와 우리말을 연결하세요.

01 walk his dog •   • ⓐ 자러 가다

02 pass the grocery store •   • ⓑ 식료품점을 지나가다

03 go to bed •   • ⓒ 그의 개를 산책시키다

4 다음 보기에서 빈칸에 알맞은 말을 골라 쓰세요.

with	at	to

01 I go to bed _____ 10 o'clock.

02 I play baseball _____ my friends.

03 We go _____ the zoo every Sunday.

04 They are staying _____ the hotel.

5 다음 영어를 우리말로 쓰세요.

01 Sometimes they go to the park.

→ _____

02 After dinner, he does his homework.

→ _____

1

다음 보기에서 의미와 일치하는 단어를 고르고 세 번 쓰세요.

> suit   leave   office   coworker   return   busy

01 사무실 _____ _____ _____

02 직장동료 _____ _____ _____

03 정장, 양복 _____ _____ _____

04 떠나다 _____ _____ _____

05 바쁜 _____ _____ _____

06 돌아오다 _____ _____ _____

2

다음 중 우리말과 같도록 빈칸에 들어갈 알맞은 말을 고르세요.

01

He _____ soup for breakfast.

그는 아침식사로 수프를 먹는다.

① buys   ② takes   ③ reads   ④ likes   ⑤ has

02

He _____ to the bus stop.

그는 버스정류장에 걸어간다.

① has   ② walks   ③ returns   ④ likes   ⑤ catches

3 다음 영어와 우리말을 연결하세요.

01 take a shower   •

  • ⓐ 버스를 타다

02 wear a suit   •

  • ⓑ 샤워를 하다

03 catch the bus   •

  • ⓒ 정장을 입다

4 다음 밑줄 친 부분을 바르게 고치세요.

01 He's going to visit <u>the Seoul</u> next month. → _____

02 He plays <u>a soccer</u> every day. → _____

03 We have <u>the lunch</u> at noon. → _____

04 Jim has lunch with <u>a Kevin</u>. → _____

5 다음 영어를 우리말로 쓰세요.

01 He returns home from work at 8:00 p.m.

→ _____

02 My dad leaves the house at 7:30.

→ _____

1 다음 보기에서 의미와 일치하는 단어를 고르고 세 번 쓰세요.

leg say hope recover stay check

01 다리 _____ _____ _____

02 확인하다 _____ _____ _____

03 머물다 _____ _____ _____

04 회복하다 _____ _____ _____

05 말하다 _____ _____ _____

06 희망하다 _____ _____ _____

2 다음 중 우리말과 같도록 빈칸에 들어갈 알맞은 말을 고르세요.

01

I _____ Blackie to Mr. Brown.
나는 블래키를 브라운 선생님께 데려간다.

① work ② check ③ hope ④ stay ⑤ take

02

He says Blackie has a _____ leg.
그가 블래키가 다리가 부러졌다고 말한다.

① old ② broken ③ tall ④ strong ⑤ long

3 다음 영어와 우리말을 연결하세요.

01 get injured   •

02 sick animals   •

03 stay at the clinic •

    • ⓐ 아픈 동물들

    • ⓑ 부상당하다

    • ⓒ 병원에 머물다

4 다음 괄호 안에서 알맞은 것을 고르세요.

01 I (have / has) dinner at 7 o'clock.

02 He (work / works) at a bank.

03 Sam (go / goes) to the park every day.

04 She (take / takes) a walk in the morning.

5 다음 영어를 우리말로 쓰세요.

01 There are a lot of sick animals at the animal clinic.

→ _____

02 I hope he will recover soon.

→ _____

1 다음 보기에서 의미와 일치하는 단어를 고르고 세 번 쓰세요.

sick	toothache	meal	dentist	brush	chew

01 치과, 치과의사 _____ _____ _____

02 식사 _____ _____ _____

03 씹다 _____ _____ _____

04 치통 _____ _____ _____

05 아픈 _____ _____ _____

06 닦다 _____ _____ _____

2 다음 중 우리말과 같도록 빈칸에 들어갈 알맞은 말을 고르세요.

01

She can't chew her food _____.

그녀는 음식을 잘 씹을 수 없다.

① well ② good ③ bad ④ little ⑤ happy

02

Cathy is sick in _____.

캐시는 아파서 누워 있다.

① sofa ② bed ③ school ④ school ⑤ food

3 다음 영어와 우리말을 연결하세요.

01 chew food   •   • ⓐ 치과에 가다

02 sick in bed   •   • ⓑ 아파서 누워 있다

03 go to the dentist •   • ⓒ 음식을 씹다

4 다음 우리말과 같도록 보기에서 빈칸에 알맞은 말을 골라 쓰세요.

runny nose   fever   headache

01 He has a _____.
    그는 열이 있다.

02 I suffer from a bad _____.
    나는 심한 두통을 앓는다.

03 I have a _____ and a terrible cough.
    나는 콧물이 흐르고 기침이 심하게 난다.

5 다음 영어를 우리말로 쓰세요.

01 She doesn't brush her teeth after meals.

    → _____

02 She is a little nervous about going to the dentist.

    → _____

1 다음 보기에서 의미와 일치하는 단어를 고르고 세 번 쓰세요.

| fever | nose | nervous | ask | tongue | weekend |

01 코 _____ _____ _____

02 주말 _____ _____ _____

03 물어보다 _____ _____ _____

04 혀 _____ _____ _____

05 긴장한 _____ _____ _____

06 열 _____ _____ _____

2 다음 중 우리말과 같도록 빈칸에 들어갈 알맞은 말을 고르세요.

01

The doctor asks her a few _____.
의사 선생님이 그녀에게 몇 가지 질문을 한다.

① medicine   ② glasses   ③ questions ④ meals   ⑤ hands

02

Sara has to _____ some medicine.
사라는 약을 좀 먹어야 한다.

① buy   ② take   ③ go   ④ want   ⑤ need

3 다음 영어와 우리말을 연결하세요.

01 have a cold •

02 stay home •

03 have a runny nose •

• ⓐ 콧물이 난다

• ⓑ 감기에 걸리다

• ⓒ 집에 머물다

4 다음 괄호 안에서 알맞은 것을 고르세요.

01 It was (a little / a few) cloudy and chilly in the morning.

02 (A few / A little) hours later, they arrived at the island.

03 The letter came (a few / a little) days ago.

04 I'm (a few / a little) hungry. I want to have some pizza.

5 다음 영어를 우리말로 쓰세요.

01 The doctor takes her temperature.

→ _____

02 Her mom takes her to a doctor.

→ _____

1 다음 보기에서 의미와 일치하는 단어를 고르고 세 번 쓰세요.

| move | tennis | puppy | food | often | dinner |

01 테니스 _____ _____ _____

02 강아지 _____ _____ _____

03 저녁식사 _____ _____ _____

04 자주, 종종 _____ _____ _____

05 음식 _____ _____ _____

06 이사하다 _____ _____ _____

2 다음 중 우리말과 같도록 빈칸에 들어갈 알맞은 말을 고르세요.

01

We moved _____ last year.
우리는 지난해에 이곳에 이사 왔다.

① here ② often ③ there ④ like ⑤ love

02

My favorite _____ is tennis.
내가 좋아하는 운동은 테니스다.

① food ② sport ③ name ④ health ⑤ year

3 다음 영어와 우리말을 연결하세요.

01 last year •

                                          • ⓐ 테니스를 치다

02 play tennis •

                                          • ⓑ 내가 좋아하는 음식

03 my favorite food •

                                          • ⓒ 지난해

4 다음 괄호 안에서 알맞은 것을 고르세요.

01 They (are / were) very busy yesterday.

02 It (is / was) very hot yesterday.

03 She (is / was) reading a book now.

04 Tony (is / was) 10 years old last year.

5 다음 영어를 우리말로 쓰세요.

01 I have a puppy and its name is Tommy.

    → _____

02 I often eat bibimbap for dinner.

    → _____

1 다음 보기에서 의미와 일치하는 단어를 고르고 세 번 쓰세요.

| country | family | subject | learn | dream | singer |

01 가족 _____ _____ _____

02 과목 _____ _____ _____

03 가수 _____ _____ _____

04 꿈 _____ _____ _____

05 배우다 _____ _____ _____

06 나라 _____ _____ _____

2 다음 중 우리말과 같도록 빈칸에 들어갈 알맞은 말을 고르세요.

01

I like singing songs _____ I'm free.

나는 한가할 때 노래 부르는 것을 좋아한다.

① because   ② so   ③ when   ④ what   ⑤ but

02

Indonesia is in the _____ of Asia.

인도네시아는 아시아의 남동쪽에 있다.

① west   ② north   ③ southeast   ④ northeast   ⑤ east

3 다음 영어와 우리말을 연결하세요.

01 a beautiful beach •

• ⓐ 아름다운 해변

02 grow up •

• ⓑ 실현하다

03 come true •

• ⓒ 성장하다

4 다음 빈칸에 because 또는 because of를 쓰세요.

01 I couldn't sleep _____ the noise.

02 I was late for class _____ I got up late.

03 My dad stopped drinking _____ his bad health.

04 He can't help you _____ he's busy.

5 다음 영어를 우리말로 쓰세요.

01 Indonesia is a country with beautiful beaches.

➜ _____

02 I hope my dream will come true.

➜ _____

1 다음 보기에서 의미와 일치하는 단어를 고르고 세 번 쓰세요.

| daughter | teach | history | chicken | job | rice |

01 쌀 _____ _____ _____

02 가르치다 _____ _____ _____

03 역사 _____ _____ _____

04 닭 _____ _____ _____

05 딸 _____ _____ _____

06 일, 직업 _____ _____ _____

2 다음 중 우리말과 같도록 빈칸에 들어갈 알맞은 말을 고르세요.

01

I'm _____, and I have 2 daughters.
나는 결혼했고 딸이 둘 있다.

① busy   ② wedding   ③ woman   ④ married   ⑤ single

02

I _____ history in university.
나는 대학에서 역사를 공부했다.

① came   ② ate   ③ studied   ④ teach   ⑤ read

3 다음 영어와 우리말을 연결하세요.

01 rice noodles •

02 teach English •

03 free time •

• ⓐ 영어를 가르치다

• ⓑ 쌀국수

• ⓒ 자유로운 시간

4 다음 우리말과 같도록 주어진 단어를 이용하여 빈칸에 알맞은 과거형을 쓰세요.

01 I _____ baseball yesterday. (play)
나는 어제 야구를 했다.

02 She _____ in London last year. (live)
그녀는 지난해 런던에 살았다.

03 She _____ to school yesterday. (walk)
그녀는 어제 학교에 걸어갔다.

04 They _____ pizza last night. (eat)
그들은 지난밤에 피자를 먹었다.

5 다음 영어를 우리말로 쓰세요.

01 I came here to teach English.

→ _____

02 Teaching English is not easy, but I love my job.

→ _____

Memo

Memo

Memo

WORKBOOK